JN124212

人と自然の
ワンダーランドへ、
ようこそ

恐竜化石の発掘
（大規模発掘で密集して産出した丹波竜の肋骨や恥骨、椎骨の破片などの化石）

大空を飛翔するイヌワシ
（⇒雪と森の国に生息するイヌワシの不思議な生態　p131）

タニウツギ

ヤブウツギ

コバノミツバツツジ

ユキグニミツバツツジ

（⇒兵庫の植物、その特異な分布と博物館の標本　p8）

ウスイロヒョウモンモドキ
(⇒生物標本の遺伝情報を利用する　p232)

ハエトリグモの一種
(⇒ハエトリグモ類の分類体系を整理する　p117)

ニセナンゴクヤマラッキョウ
(⇒ヤマラッキョウの地域的
変異をさぐる　p15)

ウンラン
(⇒海浜植物ウンランと海辺の自然の保全　p196)

オチフジの群生
(⇒可憐な花、オチフジの謎にせまる　p20)

兵庫県でみられる多様な植生の姿
（⇒地域の自然に配慮した緑化のしくみを目指して　p180）

和歌山市・伊達神社周辺の史跡やハザード情報を掲載した「無病息災マップ」
（⇒神社を地域防災の拠点として活用する　p153）

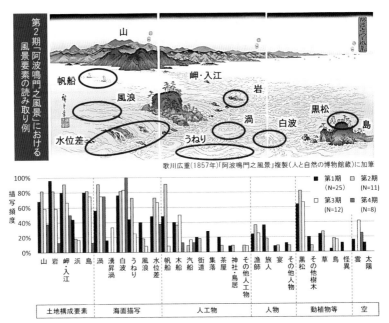

山
帆船
風浪
水位差
岬・入江
うねり
岩
渦
白波
黒松
島

歌川広重（1857年）「阿波鳴門之風景」複製（人と自然の博物館蔵）に加筆

描写頻度

■ 第1期（N=25）　　□ 第2期（N=11）
□ 第3期（N=12）　　■ 第4期（N=8）

山　岩　岬・入江　浜　島　渦　湧昇渦　白波　うねり　風浪　水位差　帆船　木船　汽船　街道　集落　茶屋　神社・鳥居　その他人工物　漁師　旅人　宴人　その他人物　黒松　その他樹木　草　鳥　怪異　雲　太陽

土地構成要素　　海面描写　　人工物　　人物　　動植物等　　空

絵図の風景要素の読み取り例と各要素の描写頻度
（⇒風景の価値を探る〜世界遺産登録へ向けた調査から〜　p160）

路地の風景
（⇒コミュニティが育む身近な緑　p142）

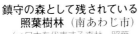

鎮守の森として残されている照葉樹林（南あわじ市）
（⇒日本を代表する森林、照葉樹林の保全に向けて　p188）

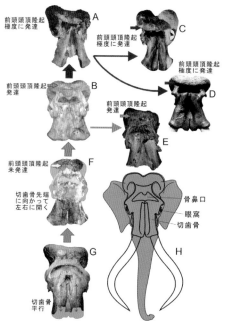

前頭頭頂隆起極度に発達 A

前頭頭頂隆起極度に発達 C

前頭頭頂隆起極度に発達 D

前頭頭頂隆起発達 B

前頭頭頂隆起発達 E

前頭頭頂隆起未発達 F

切歯骨先端に向かって左右に開く

骨鼻口
眼窩
切歯骨

G
切歯骨平行

H

パレオロクソドン属の頭骨の進化
(⇒ナウマンゾウの祖先をエチオピアで掘る　p84)

神戸層群から産出した葉の化石
左：ミフクラギ属の一種（キョウチクトウ科）、右：ケヤキ属の一種（ニレ科）
(⇒神戸層群の年代を調べる　p37)

A　CM　B

C

ポリプティコセラスの化石
(⇒アンモナイト化石の研究からわかること　p52)

**白亜紀後期後半のジャブクラント層から
発見されたテリジノサウルス類の巣化石**
(⇒恐竜化石を求めてゴビ砂漠へ行く　p59)

ヒアリ
（⇒意外と役立つアリの研究
　～博物館と社会の絆～　p257）

タンガニイカ湖で最大の
Boulengerochromis microlepis（カワスズメ科）
（⇒タンガニイカ湖でのシクリッド調査　p137）

タイヘイキノボリトカゲ
（⇒琉球・台湾にいるキノボリ
トカゲの仲間たち　p125）

帽状部

翼状片

外来昆虫ヘクソカズラグンバイ（A・B）と加害されたヘクソカズラ（C・D）
（⇒外来カメムシを追う―在野研究者との共同調査　p215）

ジャゴケ探検隊の皆さん
(⇒ジャゴケを求めて西に東に　p102)

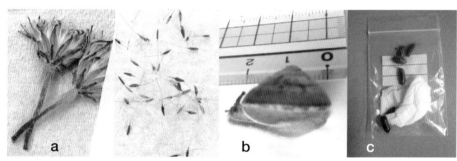

市民参加型調査の参加者から送られてきたサンプル
a タンポポの花とタネ、b カタツムリの写真、c ダンゴムシの生体
(⇒身近な生き物から地域の特徴を知る　p202)

ひとはくの芝生広場を利用した「そとはく」
(⇒コロナ禍でみえた身近な地域の魅力　p149)

ひとはくのキャラバン事業で活用される
カブトムシの拡大模型
(⇒「非認知的能力」から読み解く
博物館での学び　p249)

人と自然の
ワンダーランドへ、
ようこそ

兵庫県立人と自然の博物館・編

はじめに

　ひとはくは、県立の博物館・研究所として、県民・市民のみなさまにとって欠くことのできない存在でありたい。

　1992年10月、人と自然の博物館（ひとはく）は、多くの方々のご支援を受けて、兵庫県北摂地域、三田の地で、その産声をあげました。ひとはくの特徴は、ニュータウン内の都市公園に位置することを活かし、自然系分野に限ることなく造園やまちづくりといった環境系分野までも対象として、大学教員が兼務する研究員を配置し質の高い研究活動を行うこと、その成果を県民のみなさまの学びや人生の豊かさにつなげるよう取り組むことにあります。そのため、設立時には姫路工業大学（現在の兵庫県立大学）の自然・環境科学研究所が併設され、平均年齢40歳台後半の若き研究部長たちを含む38人の研究員が配属されました。

　それから30年、1995年の阪神・淡路大震災や、その後の経済低迷期、コロナ・パンデミックなどを経ながらも、研究員は人と自然に関わるワクワク、ドキドキするようなテーマを見つけ出し、着実な研究活動、社会活動を行ってきました。丹波における恐竜化石等の発掘などは、多くのみなさまとワクワクする気持ちを共有している研究のひとつでしょう。ひとはくの活動の舞台は、兵庫県内にとどまらず、日本全国や、海外に広がっており、今も新しいテーマを探し続けています。

　これらの研究成果をもとにして、市民団体、NPO、行政、学校や幼稚園・保育園、公園などと協働して、様々なユニークな活動を行ってきました。例えば、博物館や研究所という建物に閉じこもることなく各地に展示物を携えて研究員が訪ね、人と自然の不思議やおもしろさを伝えるキャラバン活動、赤ちゃんから大人まで楽しみながら学べ

る環境学習の推進、生物多様性の保全や地域づくりの取り組みなどがあります。開館後に組織されたNPO「人と自然の会」のみなさまとの協働は意義深く、現在もその関係は続いています。

　2019年より約2年間にわたりひとはくのホームページにて、ひとはくの調査・研究の歩みを写真やエピソードを交えて解説するコラム「人と自然、地域と向き合う－ひとはく研究員の調査・研究の歩み」を連載してきました。30周年を迎えるにあたり、これらをベースにした本書『人と自然のワンダーランドへ、ようこそ』をまとめました。1章から3章までは自然史の、4章は環境や風景のおもしろさ・奥深さをお届けする内容になっています。さらに5・6章では「未来につなぐ」「地域社会との絆」をキーワードとして、わたしたちがこれから進むべき方向について考えるヒントが示されています。読者のみなさまには、本書から自然史や地域の楽しみ方についてのワクワク感のあるインスピレーションを得ていただけましたら幸いです。

　最後に、ひとはくと兵庫県立大学自然・環境科学研究所を支えていただいた乳幼児から高齢者までの兵庫県民のみなさま、県下五国のみなさま、兵庫県・兵庫県教育委員会のみなさま、協働して頂いた多くのみなさまにお礼申し上げますと共に、これからのひとはくに更なるご支援、ご協力をお願いします。

兵庫県立人と自然の博物館

館長　中瀬　勲

3

目　　次

第4章　人と自然がつくる地域の風景

第5章　未来につなぐ貴重な自然環境

第6章　博物館の研究と地域社会との絆

第 *1* 章

兵庫の多様な
自然と環境

兵庫の植物、その特異な分布と博物館の標本

高橋　晃

　日本の植物の分布には、日本列島の地形、気候、地史などが影響して決まっているいくつかの分布パターンがあることが知られています。実際に野外で植物がどのような分布をしていて、それに種の違いなどがどのように関係するのかといった問題は、昔から植物分類学や生物地理学のフィールド研究の主要なテーマでした。最近では遺伝子情報を含んでいなければ学術研究で取り上げられることはほとんどなく、時間や労力がかかるばかりで業績になりにくい分野なので、手を染める若い研究者も少なくなりました。それでも地方の博物館にとって、依然として詳細を解明すべき重要なテーマの一つです。

　植物は種によって決まった分布域をもっていて、兵庫県内でもすべての植物の種がどこにでも生えているのではなく、特定の地域や場所に限って生えていることが多いのです。それらの種の分布を調べるためには、博物館に収蔵されている植物標本が不可欠です。

■ 植物標本の役割

　植物標本は、草花や樹木の枝先を押し葉にして台紙上に貼り付け、さらにその植物をだれが、いつ、どこで採集したかという情報を書き込んだラベルを貼付したものです（写真1）。ラベルには樹木の大きさや花の色など、その植物が標本になったらわからなくなる情報や生育場所の環境情報など、採集者にしかわからない情報も書き込まれます。種名は暫定的に書き入れますが、のちに花などの形態を詳しく調べた結果、当初の種名はまちがいであり、別の種であると判明すれば、新しい名前を書き込んだ鑑定ラベルを追加して貼付します。別種であることがわかった結果、採集地がその種にとっての新産地になることもあります。

標本によって採集場所が特定されるので、ある場所にその種があるかどうかの判定に使えます。逆に、採集場所が特定できることが貴重種の盗掘などの被害につながる可能性があるので、付属情報の取扱いには十分に注意する必要があります。さらに年月日が書かれているので、ある場所にその種がいつ頃から存在していたのかということがわかります。また、ある種で50年以上前の標本はたくさんあるが、それから現在までの標本が採られていなければ、その種が絶滅した可能性を疑う必要が出てきます。

写真1　植物標本（ウリカエデ）

　このように博物館に収蔵されている植物標本は、多くの人たちが調査した結果の集約であり、種の識別を可能にしたり、特定の時間や場所に存在していたことを証明したりと、じつにたくさんの役割をもっているのです。

■ 日本海要素植物の分布を調べる

　南北に長い兵庫県では、降水量の違い、とくに冬の降雪量の違いが植物の生育状況に大きな影響を与えるので、北の日本海側と南の瀬戸内海側でおのずと生えている植物の種も異なります。日本海側の多雪地帯に限って分布する植物は日本海要素とよばれています。日本海要素の植物の例としてよく知られているのが、クロモジとオオバクロモジです。クロモジは太平洋側に分布し、オオバクロモジが日本海側に分布するとされ、兵庫県内でもそのような分布の違いがみられます。オオバクロモジ以外にもハイイヌガヤ、サワグルミ、ミズメ、ハルニレ、サンインシロ

カネソウ、コケモモ、タジマタムラソウ、クロバナヒキオコシ、タニウ
ツギ、ワカサハマギクなど多くの日本海要素植物があります。

　これらの植物の分布を詳しく調べるためには現地調査が必要になりま
すが、多くの場所へ何度も足を運んで調べることはあまりに労力がかか
りすぎ、一人ではできません。そこで植物標本を用いるのです。植物標
本は過去何十年の間に多くの人たちにより、いろいろな場所でいろいろ
な季節に採集されたものであり、標本の一枚一枚に貴重な自然環境の情
報が蓄積されています。標本の種の鑑定がきちんとできていれば特定の

写真2　サンインシロカネソウ

種が特定の場所に生育して
いたという証拠になるので、
それらの採集地情報を地図
上にプロットすれば分布図
ができます。そこで一部の
植物について、兵庫県内の
どこに分布しているかを地
図で表してみました。

　わかりやすい例として、

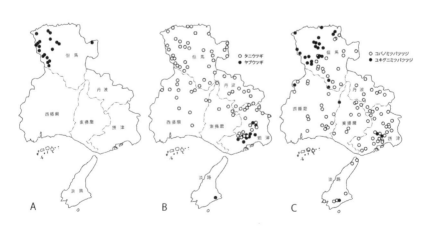

図1　兵庫県における5種の分布
A. サンインシロカネソウ　B. タニウツギ・ヤブウツギ　C. コバノミツバツツジ・ユキグニミツバツツジ

日本海側に生育していることにちなんで名付けられたキンポウゲ科の植物サンインシロカネソウ（写真2）を見てみます。この種は福井県から島根県までの日本海側に分布する日本海要素植物の一つで、山間の沢筋など水気の多い場所に生えています。兵庫県内での分布をみると、但馬地域に限られていることがわかります（図1-A）。

　スイカズラ科のタニウツギ（写真3、口絵写真）は、北海道の西部から東北、北陸、山陰地方の日本海型気候の地域にかけて分布している日本海要素植物の一つです。ところがこの種は、県内では但馬地域に限られているのではなく、播磨や丹波地域、さらには姫路市や神戸市にまで分布を広げており（図1-B）、これらの地域周辺の丘陵地で5月にはピンク色のきれいな花を見ることができます。同じ仲間にヤブウツギ（写真4、口絵写真）という種があり、これは東京以西の太平洋側の低山地に生え、東海、近畿から中国、四国にまで分布するとされています。この花は濃い赤色で下向きに咲き、県下では六甲山周辺と淡路島でのみ見ることができます。タニウツギとヤブウツギについて標本情報からそれらの詳細な分布図を作ってみると、六甲山近辺で両種が入り混じって分布していることがわかります（図1-B）。タニウツギは東北から北陸地方までは確かに日本海側に限定された分布をしていますが、近畿地方になるとずいぶん南の方まで分布が広がっています。近畿地方の中北部では日本海側と太平洋側を隔てる標高の高い脊梁山脈が途切れ、兵庫県丹波市石生地区には標高100m以下の、本州一標高の低い谷中分水界

写真3　タニウツギ

写真4　ヤブウツギ

写真5　コバノミツバツツジ　　　　　　写真6　ユキグニミツバツツジ

があることが知られています。このことがタニウツギの分布を南方に広げる要因になっているのかもしれず、ひょっとしたらタニウツギは雪がそれほど多くなくても育つ植物なのかもしれません。

　ツツジ類のなかで兵庫県に生えているミツバツツジの仲間はコバノミツバツツジ（写真5、口絵写真）が一般的ですが、但馬地域の日本海側にはコバノミツバツツジよりもやや赤味が強い紅紫色の花を咲かせるユキグニミツバツツジ（写真6、口絵写真）がみられます。ユキグニミツバツツジは、秋田県以南、鳥取県までの東北、北陸、山陰地方の日本海側に分布する日本海要素植物の一つです。名前からしても日本海側の多雪地域の代表のように思われますが、兵庫県ではその生育範囲はずっと南に下がっていて、六甲山や淡路島の諭鶴羽山にまで分布することが知られています（図1-C）。タニウツギのように但馬地域から丹波、摂津地域にまで連続的に分布する植物とは異なり、ユキグニミツバツツジの主たる分布域は但馬の山間地です。但馬地域より南では笠形山や六甲山、諭鶴羽山という比較的高い山地に分布が限られているので、タニウツギとは異なる経歴があるのかもしれません。

■ 植物標本で種名を同定する

　ミツバツツジ類は分類のむずかしい群です。花が咲いている季節に野外で目にすると、ツツジであることはすぐにわかりますが、詳しく調べて決めないと、名前を間違うことがあります。コバノミツバツツジとユ

キグニミツバツツジは比較的区別しやすく、前者には葉の縁に細かな鋸歯がありその先に細く長い毛が生えていることや、葉裏の葉脈が著しく、葉柄に毛が密生するなどの特徴があります（図2-a）。ユキグニミツバツツジは、花色がより赤味の強い紅紫色であることのほか、葉の縁には鋸歯がなく、葉柄は無毛である（図2-b）ことなどで前者と区別できます。

　ユキグニミツバツツジが六甲山に生えていることは古くから知られていましたが、淡路島にあることは30年ほど前に初めてわかったことです。淡路島にはミツバツツジ類は少なく、諭鶴羽山で見られたものはコバノミツバツツジだと思われていました。ところが、どうも様子が違うということで標本の葉の毛の様子などが詳しく調べられた結果、ユキグニミツバツツジだと判明したのです。

　兵庫県内には、この2種以外にもダイセンミツバツツジ、トサノミツバツツジ、オンツツジといったミツバツツジの仲間が生えていることがわかっています。ダイセンミツバツツジはユキグニミツバツツジとは変種の関係で、分布域が一部重なりますが、葉柄に毛が密生することか

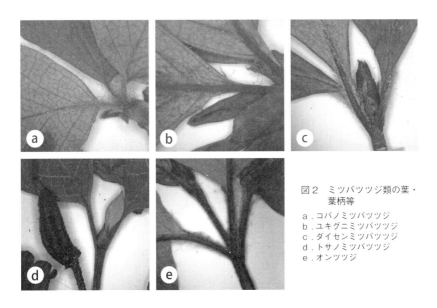

図2　ミツバツツジ類の葉・
　　　葉柄等
a．コバノミツバツツジ
b．ユキグニミツバツツジ
c．ダイセンミツバツツジ
d．トサノミツバツツジ
e．オンツツジ

ら区別できます（図 2-c）。トサノミツバツツジとオンツツジはいずれも淡路島の山地で見つかっており、前者は花茎や果実に短い腺毛が密生すること、後者は葉柄に淡褐色の長毛が密生することなどから区別できます（図 2-d,e）。

　花がない季節であっても、標本をきちんと作っておけば、希少植物の産地が新たにわかったり、ないと思われていた植物が兵庫県に産することが新しくわかったり、思わぬ新発見につながることがあるので、標本を蓄積することは重要なのです。

■ 東西方向で特異的な分布がみられる植物

　兵庫県の南北方向で分布域が異なる植物を見てきましたが、東西の方向でも分布域に特徴のある植物があります。カンザシギボウシは九州、四国、中国地方に分布し、兵庫県内では武庫川が分布の東限になります。同じ仲間のキヨスミギボウシは関東、東海、近畿地方にまで分布し、武庫川が分布の西限にあたります。フジとヤマフジも、東西の分布を見ると、おもしろい特徴があることがわかります。フジは、ほぼ全県的に分布していますが、ヤマフジは九州から四国、中国地方、兵庫県の西播磨地域にまで分布し、市川より東になるとぱたっとなくなります。チトセカズラ、ナツアサドリも中国地方のいくつかの県に分布していますが、兵庫県の西播磨が分布の東限で、それより東側には分布しません。コヤスノキはもっと分布域が狭く、岡山県南東部と西播磨にだけ生えています。

　このように分布域の南北の境界や東西の境界が兵庫県内にある植物は、けっこうたくさんあります。こういった植物の県内における詳しい分布を明らかにするためにも、博物館の植物標本が役立っているのです。

ヤマラッキョウの地域的変異をさぐる

藤井 俊夫

■ 兵庫県のヤマラッキョウ

　兵庫県には、野生のヤマラッキョウの仲間が4種自生しています[1]。人里近くの河川堤防や田畑の畔に生育し、初夏に白色の花をつけるノビル（花の代わりに多数のむかご（珠芽）をつけていることがあります）、兵庫県では北部の冷涼な地域に分布し、初夏に薄紫の花を咲かせるアサツキ、分布域は広いが植物体が小さく、春先に小さな目立たない花を咲かせるヒメニラ、そしてもっとも広く分布し、秋に赤紫色の花を咲かせるヤマラッキョウの4種です。

　ここでは、兵庫県でもっともふつうに見られるヤマラッキョウの地域変異や集団間の変異についてみていきます。ヤマラッキョウの生育地として「山野の日当たりの良い草原に生える」との記述が見られますが[2]、実際にはヤマラッキョウは海岸の岩場から田畑の畔、溝などの湿地に至る多様な環境に生育しています。

■ 観察会での発見

　ヤマラッキョウの仲間について調べる契機になったのは2014年秋の植物観察会で、その折りに姫路の海岸の岩場に生える個体群を見つけたところから始まりました。その2年ほど前には、ヤマラッキョウ近似のタマムラサキが太平洋側の海岸で次々に見つかっていました[3]。それまではタマムラサキは原記載の基準標本産地である対馬でしか知られていませんでした[4]。しかも、田中ほか[3]によるとタマムラサキの生育地は海岸の岩場に限られるとあり、姫路で見られた海岸性のヤマラッキョウの生育環境と一致しました。

■ 図鑑の記載に合わないヤマラッキョウ

　この時に疑問に思ったのが、兵庫県の内陸に生育する様々なタイプの
ヤマラッキョウについてでした。文献を調べると、ヤマラッキョウには
複数の倍数性が知られており、2倍体、4倍体、6倍体などを含む複合
種であることがわかってきました [5]。そして、4倍体（複2倍体）の系
統がタマムラサキとして、ヤマラッキョウから分離・独立されていまし
た。そこで姫路のヤマラッキョウは海岸に生育するタマムラサキに間違
いないだろうとして、兵庫県新産の植物として報告しました [6]。この報
告と同時に、内陸の草原に生える高さが 160cm を超えるヤマラッキョ
ウについて、未解明のヤマラッキョウの一系統「巨大ヤマラッキョウ」
として報告しました。

　その後は、ヤマラッキョウに関する各種の文献を収集するとともに、
兵庫県内のヤマラッキョウ集団の現地調査と標本の収集を続けてきまし
た。姫路のタマムラサキの集団を引き続き調査し、その栽培個体の形態
観察を詳細に行ってきたところ、タマムラサキの記載に合わない特徴が
明らかになってきました。九州におけるヤマラッキョウの分類に関する
文献 [7] を見つけて姫路のタマムラサキの形質と比較したところ、葉の
断面構造などの点で一致する点が多数認められましたが、個体サイズや
葉長と花茎長の比率など細部の形質で異なるところが出てきました。

　そこで再び、収集した各種の図鑑類や報告などの記述と兵庫県に産す
るヤマラッキョウの形態、形質の比較作業を行ったところ、図鑑や報告
によってヤマラッキョウの記述がバラバラであることがわかってきまし
た。例えば、ヤマラッキョウと、タマムラサキや近似のイトラッキョウ
などを識別する形質で葉の断面構造があります。ヤマラッキョウでは、
円形中空から三角中実まで、様々な記述が見られます [8, 9]。

■ 葉の断面構造による区別

　兵庫県内で観察した様々な系統のヤマラッキョウ集団を葉の断面構造
に注目して区分していくと、生育環境に対応した複数の集団に区別でき

ることが明らかとなってきました[10, 11, 12]。すなわち、兵庫県のヤマラッキョウを葉の断面構造から区分すると、以下の5つのタイプに区分できます[13]。

a. 溜池の土手などに生える高さ1.5mを超える系統
　　葉の断面が三角形で中実、中空の2タイプ。幅3～5mm。引用文献6で巨大ヤマラッキョウとしたもの。

b. 湿った岩場に生える矮小化した系統（写真1）
　　葉の断面が扁平で中実、幅1～2mm。

c. 海岸の岩場に生え、葉が花茎より長く枝垂れる系統（写真2）
　　葉の断面がV字型中実だが、葉が長く枝垂れる。幅3～5mm。

d. 田んぼの土手等に生える小型系統
　　葉の断面が中実、V字型で、葉が直立する。幅2～3mm。

写真1　湿った岩場に生育する矮性タイプ（背丈20cm）　　写真2　海岸性のニセナンゴクヤマラッキョウ（背丈50cm）

e. 湿地に生える系統

葉の断面が矢羽型、針で開けたような小さな穴があり中空。幅2-4mm。

ここで再び姫路の海岸で発見したタマムラサキを検討したところ、上記の「c」の系統になり、タマムラサキではなく、各種図鑑の記載とも一致しない系統であることが明らかになりました。今のところ該当する分類群がなく、堀田の報告[7]にあるナンゴクヤマラッキョウにもっとも近い形態を示すので、仮に「ニセナンゴクヤマラッキョウ」と呼んでいます（写真2）。今後は、倍数性や染色体の核型分析、DNA解析による種としての独立性を検討していこうと考えています。

ヤマラッキョウなどの身近な植物でも詳細に観察していけば、地域や生育環境によって種分化を起こしてきていることがわかる可能性があります。日本に生育する植物相の全容は各種の図鑑によって明らかになりましたが、ヤマラッキョウのように身近な植物でさえ、種内変異や地域間変異、集団間変異が十分にわかっていない植物が多数残されています。

〈引用文献〉
1) 藤田昇・布施静香・黒崎史平・高橋弘・田村実・山下純（2007）Liliaceae ユリ科. 福岡誠行・黒崎史平・高橋晃編「兵庫県産維管束植物9」, 人と自然, 18：85-117.
2) 佐竹義輔（1991）【19】ネギ属　Allium L. 佐竹義輔・北村四郎・亘理俊次・富成忠夫編「日本の野生植物. 草本I単子葉」, 平凡社, 35-37.
3) 田中伸幸・藤井伸二・木下寛（2012）タマムラサキの分布と四国での生育環境. 分類, 12 (2)：153-157.
4) Makino, T. (1910) Observations on the flora of Japan. The Botanical Magazine, 24：276-287.
5) 野田昭三・渡辺晧（1968）ヤマラッキョウの染色体構成とB染色体の多様性（予報）. 大阪学院大学論叢, 11：105-128.
6) 藤井俊夫（2018）兵庫県新産のタマムラサキ（ユリ科）. 兵庫の植物, 28：5-6.
7) 堀田満（1998）西南日本の植物雑記IV. 九州南部から南西諸島のヤマラッキョウ群の分類. 植物分類・地理, 49 (1)：57-66.

8) Jiemei, X. and Kamelin, R. V.（2000）Allium. Flora of China，24：165-202. http://www.efloras.org/: Online Date 2/22/2015

9) 布施静香（2015）【ネギ属】Allium L. 大橋広好・門田祐一・木原浩・邑田仁・米倉浩司編著「改訂新版　日本の野生植物1」，平凡社，240-243.

10) 藤井俊夫（2020a）兵庫県のヤマラッキョウ群について．第19回日本植物分類学会大会講演要旨集，42.

11) 藤井俊夫（2020b）草原に生育する巨大ヤマラッキョウについて．第67回日本生態学会大会講演要旨. http://www.esj.ne.jp/meeting/abst/67/P2-PB-190.html.

12) 藤井俊夫（2020c）兵庫県産のヤマラッキョウ類について（おぼえがき）．兵庫植物同好会々報，36：24-26.

13) 藤井俊夫（2020d）ヤマラッキョウの認識について．兵庫の植物，30：51-52.

可憐な花、オチフジの謎にせまる

高野 温子

■ 可憐で希少な植物—オチフジ

　植物の分布には地形や気候、地史などが影響します。本州の中央より少し西に位置する兵庫県には、その結果として現在、様々な植物の分布の西限や南限などの境界があり、豊かな植物相が成立しています[1]。ここでは多様な植物の中でもずっと限られた分布をする、オチフジというシソ科の小さな植物の話をします。

　オチフジ（写真 1）は、花咲く姿がまるで散り落ちたフジの花のように見えることからその名がついたといわれています。沢筋に近い、小さな岩くずで覆われた斜面上に生え、落葉樹林の林床を覆うように鋸歯のあるひし形の葉を広げて、フジと同じ 4 月下旬から 5 月中旬頃まで花を咲かせます。植物体は高さ 10 〜 15cm 程度と小さいのですが、薄紫色の花は花冠長が 3 〜 4cm と、不釣り合いに大きくなります。葉を揉んだり、少しちぎって匂いをかいでみると強いカメムシ臭がして、可憐な姿とのギャップに戸惑います。

写真 1　オチフジの群生

　オチフジの学名は *Meehania montis-koyae* Ohwi です。*Meehania* はラショウモンカズラ属の学名です。ラショウモンカズラ属は、北米と東アジアに隔離分布する 10 種足らずの小さな属です。属名（*Meehania*）

の後に来る *montis-koyae* は、種小名といって種を特定する名前で、その意味は montis ＝山、koyae ＝高野、つまり「高野山」です。Ohwi はオチフジの学名の名づけ親、大井次三郎氏の名字です。大井氏が、和歌山県の高野山から採集された植物に、オチフジという名前と山の名を冠した学名をつけました。

　オチフジの分布も、和歌山県と兵庫県西播磨地方だけ[2)] と、変わっています。和歌山県では高野山以外の産地は知られておらず、そこでもすでに絶滅したと考えられています（環境省生物多様性センター）。今も野生のオチフジがみられるのは、西播磨地方だけです。生育地が減少していることから、オチフジは、環境省レッドリスト（RL）で絶滅危惧 1B 類、和歌山県レッドデータブック（RDB）で絶滅危惧 1A 類、兵庫県 RDB で A ランクに指定されている希少種です。

　その希少性ゆえオチフジの研究はほとんど行われておらず、生活史は謎につつまれていました。花の時期はわかっていても、種子が何時どのくらいできるのか、調べた人もいなければ、送粉様式もわかっていませんでした。希少で絶滅が危惧されているにもかかわらず、その保全を考えるうえで重要な情報が何一つない状態だったのです。そこで私は、2009 年 4 月からオチフジの生活史を明らかにするべく、黒崎史平氏（現兵庫県立人と自然の博物館特任研究員）・迫田昌宏氏（（株）中外テクノス）と共同で、交配様式や季節ごとの消長について調査を行ってきました[3)]。

■ オチフジが少ないわけ

　交配様式については、花期に調査地を訪れ、袋かけ（つぼみにメッシュの袋をかけ、開花が終わるまで放置する）、自家受粉（雌しべに同じ花の花粉をかけ、除雄（＝おしべを取り除くこと）したのち袋をかける）、他家受粉（雌しべに他個体の花の花粉をかけ、除雄したのち袋をかける）、コントロール（何も操作しない比較対照）の 4 つの操作を行いました。それぞれの操作を行った花の開花が終わって 2 週間ほどし

てから、それぞれの花がいくつの種子をつくっているのか調べました。オチフジに限らずシソ科の植物は一つの花に４つの分果（＝種子）をつけますから、種子の数を数えるのは簡単です。2009 年、2010 年、1年おいて 2012 年は場所を変えて同じ実験を野外で行いました。

　詳細な数字は省きますが、自家受粉でも 50％を超える確率で種子が稔ることから、自家和合性があることがわかりました。花の終わりには、雌しべが自らの雄しべに接触しているところも観察されました。また自家受粉も他家受粉も、実験操作を行わなかったコントロール花より結実率が高くなりました。このことからオチフジは、花粉を運ぶ送粉者が限られるため、結実率が低く抑えられているのではないかと推測されます。実際に交配実験の操作をしながら訪花する昆虫を横目で観察していましたが、花を訪れる昆虫はほとんどいませんでした。

■ オチフジの一年

　オチフジの一年の生活史を追うため、交配実験を行った調査地に大きさ約 60 × 40cm の方形枠（コドラート）を２つ設定し、2009 年５月から 2010 年２月の間、毎月コドラート内のオチフジの消長について調査しました[4]。オチフジは地下茎を伸ばして複数のシュート（＝地上に現れた茎と葉のひとまとまり）を展開する多年草であるため（図 1）、どこまでが一個体かはよくわかりません。ここでは、地上に現れた茎と葉のひとまとまりを「地上部」と呼び、「個体」にかわる単位として用いま

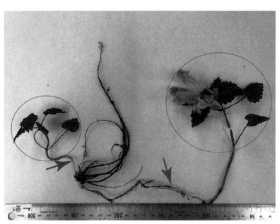

図 1　オチフジの地上部（＝シュート。赤い丸で囲んだ部分）と、地下茎（矢印でさした部分）

した。コドラートは、2009年に開花しなかった地上部の集まる場所を選んで設置しました。開花した地上部はその後結実、消失する可能性が高いからです。

　毎月現地に出向いてデジタルカメラで全景を撮影し、地上部の消長を記録しました。おもしろいことに、2つ設置したどちらのコドラートでも地上部は夏から秋にかけて次々に消えていきましたが、地上部がすべて消失するわけではありません。新しい地上部が、8月の終わりから12月にかけて、入れ替わるように現れました。このオチフジの新たな地上部の出現時期は、主に10月以降であることもわかりました。これは、ちょうどオチフジ集団を覆う林を形成している落葉樹の類が葉を落とし、林床が明るくなりはじめる時期と一致します。一方、コドラートの設置時に既にあった地上部は、ほぼすべてが12月までに枯れて消失しました。したがって、オチフジの地上部の寿命は、長くとも1年前後と推測できます。

　交配実験を通じてオチフジは野外でも結実していることがわかりましたが、コドラート内に新たに出現した地上部が実生（＝種子からの芽生え）由来なのか、現存する地下茎由来なのかは判別できませんでした。新しい地上部の出現場所はどこも、かつて大きな地上部が存在した辺りであることから、恐らくは実生の新規参入ではなく、現存する地下茎から新たな地上部が出現したものだと考えられます。

　オチフジの一年をまとめてみます。花芽の形成は3月から4月下旬、開花期が4月下旬から5月中旬で、結実は開花後の2〜3週間後で完了します。その後秋が深まるまでは、開花の有無に関わらず現存する地上部が消えていく時期です。消失時期は、株により大幅に異なりますが、開花の有無や株のサイズとは関係がないようです。一方、早いものは夏頃から、多くは秋以降から翌年の春にかけてが、新規地上部の（おそらくは種子由来の実生も）出現・成長期となります。集団としては、開花・結実期に地上部がもっとも大きく、数も多く目立ちますが、すべての地上部が地表から姿を消すという時期はありません。

■ おもしろい分布─その理由は？

　オチフジは生活史もさることながら、その分布も非常にユニークです。和歌山県と兵庫県に隔離分布するという植物は、他にはありません。しかも和歌山県の生育地は、高野山内の奥の院の奥、ただ一箇所です。高野山といえば、空海が修行の場として開いた高野山真言宗の本山があるところです。古来の霊地にふさわしい景観を維持するため伝統的に一貫した森林施策があり、森林の樹種としてマツ・スギ・ヒノキ・コウヤマキ・モミ・ツガを高野六木と称して育成保護に努め、1,000 年以上前から何度も大規模な造林が行われています。

　小川（1958）では、「オチフジはこの山（高野山）としては特殊なもので、産量甚だ少なく触目することすら極めて困難」と書かれています[5]。しかし、はるか昔から森林育成事業を行っていた大きな寺院の周辺だけが生育地というのは、ちょっと不自然です。ましてや奥の院は、その中で空海がいまだ瞑想を続けているといわれる、高野山の中でも聖地中の聖地です。一方、西播磨地域のオチフジは、産地こそ 10 箇所足らずで産量が多いとはいいかねますが、それでも 30 〜 40km の広がりをもって点々と分布し、生育環境にも共通した特徴があります。

　西播磨の船越山のふもとに瑠璃寺というお寺があります。船越山は、西播磨にオチフジが生育していることが明らかになった最初の場所です。瑠璃寺は高野山真言宗の別格本山（本山に次ぐ格式のお寺）で、本山に僧侶を度々派遣してきました。その昔、瑠璃寺からオチフジを本山に献上した、あるいは瑠璃寺から派遣された僧侶が故郷を偲ぶためにオチフジを高野山に持ち込んだのではないかと、ひそかに疑っています。前出の小川（1958）の文中にも、「高野山は古来比叡山と並ぶ仏教界の名山として信仰の中心をなしていたから、僧侶や他の住山者の出身地も広く全国に渡っていた。それ故、山上の寺院にある草木中にはそのような人間が持ち込んだ植物が残っているのではないだろうか」という記述があります。

■ 衝撃！―中国にもオチフジが

　2016 年のことです。例年東京で開催される藤原ナチュラルヒストリー財団のシンポジウムが神戸で開催されることになり、講演を頼まれました。2014 年以降しばらくオチフジ調査から離れていましたが、兵庫県での開催だから、兵庫にゆかりの深いオチフジの話をしようと思って最近の文献を探し、2015 年に発表されたラショウモンカズラ属の系統地理学的解析の論文を読んでいて衝撃を受けました。中国の研究グループが発表した論文で、なんと日本のオチフジが材料として使われていました。もっと驚いたことに「中国産」オチフジまで解析に使われているではありませんか。日本固有で絶滅危惧種であるはずのオチフジが、いつの間に中国にも分布していることになったのか？　あわてて文献を漁り、2011 年のオチフジ中国新産報告論文[6] に行きあたりました。中国の地方植物雑誌に掲載された中国語で書かれた論文で、完全に見落としていました。知らない間に、オチフジは日本固有の絶滅危惧種から日中両国に分布する植物になっていたのです。

　しかし、この論文に掲載されていた中国産オチフジのカラー写真は、日本のオチフジとずいぶん印象が違いました。本当にオチフジなのか？疑問が膨らみましたが、一人ではどうすることもできません。昨今は国をまたいで生物材料の情報を得ることに厳しい目が向けられているうえ、中国は制限が厳しい国という認識でした。そういうことも併せてシンポジウムで話をしたところ、聴講されていた伊藤元巳氏（現東京大学名誉教授）から京都大学の井鷺裕司教授が中国の浙江大学と 2 国間共同研究を行っていると教えていただき、事務局を務めておられた阪口翔太氏（京都大学）に連絡を取りました。そして、阪口氏から紹介された浙江大学の Pan Li 副教授とオチフジの共同研究を始めることができました。

　日中のオチフジ約 180 個体から核の 2 遺伝子（ITS，ETS）の塩基配列と MIGseq 解析のデータを得て、分子系統解析、集団遺伝解析、日中オチフジの分岐年代推定を行いました。分子系統解析からは、日中のオチフジはもっとも近縁であることが示されました（図 2）。しかし

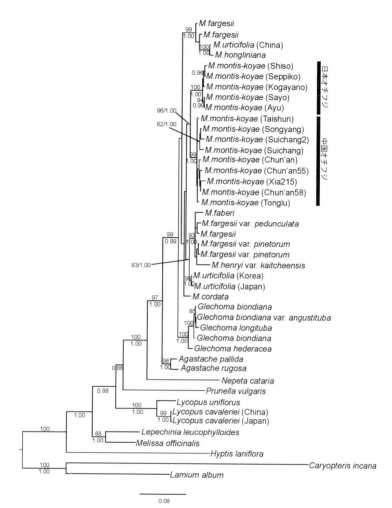

図2　核2遺伝子の塩基配列を用いたラショウモンカズラ属の最尤法（さいゆうほう）分子系統樹（Takano et al., 2020, Figure 2 を一部改変）日本のオチフジと中国のオチフジは姉妹群となる。

STRUCTURE というソフトを用いて集団遺伝解析を行ったところ、日中のオチフジ集団の間には最近の遺伝的交流は全くないことがわかりました。そこで両者の分岐年代を BEAST というソフトを用いて求めると、日中のオチフジはおよそ650（360 ～ 980）万年前の第三紀後半に分岐したと推定されました。

この時代には地球全体が寒冷化するとともに、ベーリング陸橋が出現してユーラシア大陸と北米大陸が地続きになりました。Deng et al. (2015) によれば、この時代に北米に産する唯一のラショウモンカズラ属植物（*M. cordata*）と他の東アジア産ラショウモンカズラ属植物が分岐し、ラショウモンカズラと近縁の東アジア産種が南下と多様化を開始したと推定されています[7]。おそらくは時を同じくして、オチフジの祖先も日本列島を南下した集団と現在の中国大陸を南下した集団に分かれていったものと考えられます。第四紀に入り氷期と間氷期が繰り返される間、西南日本と中国は何度か地続きになりました[8]。その時に分布域を拡大し、遺伝的な交流を行っていた植物もあるようです。ただし、中国と地続きになった氷期の最盛時は乾燥しており[8]、湿潤な環境を好むオチフジが分布を拡大して日中を行き来していた可能性は低いと思われます。

　2019 年には中国のオチフジ標本調査を行い、中国産オチフジの方が日本産よりも葉のサイズが有意に大きく、シュート当たりの花数も多く、シュートの高さも最大で 40cm ほどであるなど、日本産個体とは異なる特徴をいくつも見出しました。訪問先の標本庫を管理する研究者からオチフジの写真を多く提供していただき、花の唇弁に濃い紫色の斑点がでるという、日本のオチフジには見られない特徴も確認できました。

　このように、日中のオチフジは分岐年代が古く、分岐後も両者の間で遺伝交流がみられずに形態的に異なる特徴を持つことから、中国産オチフジを *Meehania zheminensis* という名前の新種として認めることを提案しました[9]。別種にしたとはいっても、日本と中国のオチフジがもっとも近縁な分類群同士であることに疑いの余地はありません。兵庫のごく限られた場所にひっそり生きる植物のもっとも近しい親戚が 1,500km も離れた中国にいることに、植物と地球の長い歴史を感じます。

〈引用文献〉
1) 高橋晃（2019）兵庫の植物，その特異な分布と博物館の標本．シリーズ人と自然第1回，人と自然の博物館ホームページ，4p.
2) 福岡誠行・黒崎史平（1987）本州西部植物地理雑記 6．頌栄短期大学研究紀要，19，53-58.
3) 高野温子・迫田昌宏・黒崎史平（2014）交配実験から明らかになったオチフジ（シソ科）の繁殖様式．分類 14（2），161-168.
4) 高野温子・迫田昌宏・黒崎史平（2010）オチフジ（シソ科）の地上部の季節的消長．兵庫の植物，20，37-40.
5) 小川由一（1958）紀伊高野山植物誌．信愛紀要第 2 号別冊.
6) Xia, G.-H., G.-Y. Li（2011）*Meehania montis-koyae*, a new record of Lamiaceae from China, Guihaia 2011, 31, 581-583 (in Chinese).
7) Deng, T., Z.-L. Nie, B.T. Drew, S. Volis, C. Kim, C.-L. Xiang, J.-W. Zhang, Y.-H. Wang, H. Sun（2015）Does the Arcto-Tertiary biogeographic hypothesis explaind the disjunct distribution of Northern Hemisphere herbaceous plants? The case of *Meehania* (Lamiaceae). PLOS ONE 10, e0117171.
8) Harrison, S.P., G. Yu, H. Takahara, I.C. Prentice（2001）Palaeovegetation: diversity of temperate plants in East Asia. Nature 413, 129-130.
9) Takano, A. S. Sakaguchi, P. Li, A. Matsuo, Y. Suyama, G.-H. Xia, X. Liu, Y. Isagi（2020）A narrow endemic or a species showing disjuct distribution? Studies on *Meehania montis-koyae* Ohwi (Lamiaceae). Plants 9, 1159; doi:10.3390/plants9091159.

六甲山系の森林植生と土壌の環境

小舘 誓治

　「森林土壌」と聞いて、どのようなものを思い浮かべますか？　森林内に入っても、地下の土壌を見る機会はないと思います。人と自然の博物館（以下、ひとはく）で植物を観察するセミナーを開催すると、多くの年配者が参加されます。一方、土壌をテーマにセミナーを開催すると、とっつきにくいのか、馴染（なじ）みがないのか、あるいは興味がないのか、参加希望者が少ないのが現状です。かくいう私も、植物の調査をきっかけに土壌の調査を始めました。

　私の場合は、卒業研究として、地質図をたよりに異なる地質地帯の森林を対象に植生調査を行い、地質と植生の関係について調べたことが始まりです。その後、地質よりも、より直接的に植物に影響を与える土壌へと興味を持ちだしたのは自然の流れでした。それ以来、植生と土壌の調査・研究を続けてきました。

■ アカマツ林とスダジイ林の土壌はぎ取り標本

　ひとはく本館３階展示室の「六甲のアカマツ林」というコーナーに、森林土壌の展示があります（写真１）。それは六甲山系の再度山（標高470m）周辺のアカマツ林とスダジイ林のそれぞれの「土壌はぎ取り標本」で、その名のとおり、森林の地面に穴を掘って土壌断面を作り、それをはぎ取ってきた標本で

写真１　ひとはく３階にある「六甲のアカマツ林」の土壌はぎ取り標本展示

す。

　この土壌はぎ取り標本（土壌モノリスともいう）は、私が、ひとはく
に採用されて初めて関わった展示の1つです。展示制作の専門業者と
一緒に、幅約1m×奥行約1m×深さ約1mの穴を掘って土壌断面を
作ります。そこに特殊な樹脂を塗ったあと、布を貼り付け樹脂が固まっ
たところで、布ごと土壌断面をはぎ取るのです。比較的近い場所にある
アカマツ林とスダジイ林のそれぞれで、同様の作業を行いました。山の
斜面地での作業ですから、今考えると、若かったからできたことだなと
思います。

　展示されている両樹林の土壌はぎ取り標本を見比べると、アカマツ林
の方が全体的に淡い色で、角ばった大きな礫（れき）が上層から下層まで多く不
連続にみられ、未熟な土壌に感じられます。一方、スダジイ林の土壌は
大きな礫が少なく、全体的に暗い色をしていています。上層の暗くて濃
い色から下層にかけて徐々に薄い色に変化していく様子は、じっくり時
間をかけて土壌化しているように思われます。どちらも花崗岩類（か こうがん）が風化
してできた土壌なので、土の粒子が砂っぽい感じです。

　アカマツ林の場所では、神戸市
が永久植生保存地として、1974
年から5年ごとに植生と土壌の
調査を行っています。私も調査に
参加した2014年（第9回目）
の結果をもとに、それぞれの植生
と土壌のイメージ図を描いてみま
した（図1）。

　この場所は、1900年ごろまで
は植物がほとんど生えていない状
態でした。その斜面地に等高線に
沿って階段状に石積みをして、
1902年ごろからアカマツ、クロ

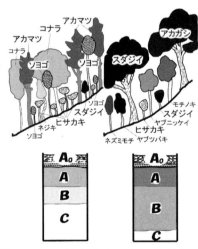

図1　アカマツ林（左）とスダジイ林（右）の
　　　植生と土壌のイメージ図

マツ、ヒノキ、スギなどの苗木が植栽されました。植栽して約110年後の2014年の調査時には、樹高約16mの樹林になっていました。高木層には冬でも緑色の葉をつけている常緑樹のアカマツやソヨゴ、落葉樹のコナラが優占していました。林内には伐採に強い常緑樹のソヨゴやヒサカキが繁茂している一方、常緑樹のスダジイの低木もみられました。ここは標高460mで、気候的極相（その場所で最終的に到達する植物群落）としてスダジイやアカガシなど常緑広葉樹（照葉樹）を主体とする照葉樹林が発達する場所です。

　スダジイ林の土壌のはぎ取り場所は、大龍寺の周辺にある、いわゆる社寺林です。250年以上は経っていると思われ、高木層のスダジイやアカガシは樹高18m以上で幹直径が80cm以上の大径木がみられます。林内には常緑樹のモチノキ、ヤブツバキ、ネズミモチなどが生育しています。

　一般に森林土壌は、落ち葉などがたまった有機物層（Ao層）と、岩石が風化して細かくなった鉱質土層に大きく分けられます。鉱質土層では、有機物が分解され黒っぽい色になった腐植を多く含む層をA層といい、土壌の母材となる岩石が風化した層をC層と呼んでいます。A層とC層の中間的な特徴を持つ層をB層といいます（図1下の土壌のイメージ図を参照）。

　樹木にとって有益なA層とB層を合わせた土層の厚さを比べると、再度山のアカマツ林で約40cm、スダジイ林で約70cmとなり、スダジイ林の方が厚いことがわかります。それぞれの樹林から土壌試料を採取して最大毛管容水量（毛管現象で最大に保持できる水分量）やpHを測定してみました。地表から30cmの深さまでの土壌で比較すると、最大毛管容水量はアカマツ林で36.5%、スダジイ林で57.8%となります。この数値が小さい方が乾燥しやすいので、アカマツ林の方が乾燥しやすい環境といえます。pHを比較するとアカマツ林が4.5に対してスダジイ林が5.0となり、アカマツ林がより酸性化していることがわかりました。アカマツ林の中にスダジイの低木が生育していることから、こ

のアカマツ林は将来、スダジイ林へ移り変わると考えられます。植生も
そうですが、土壌が変化するのも、相当な時間がかかると思われます。

■ アカマツの再生と土壌環境

　アカマツ林は、関西の里山の代表的な植生の1つです。何も植物が
生えていない裸地からどのように植生が再生していくのかを、再度山に
隣接する再度公園の周辺で調査する機会がありました。調査地はもとも
とアカマツやコナラなどの高木が優占している樹林でした。その一定面
積（約20m × 20mの範囲）を伐採して、地表部にある落葉落枝（有
機物層）およびA層を含む表層土壌（深さ0 ～ 5cm）と植物の株や根
の部分を除去した状態を人工的に作ったところです。標高は398mで
気候的極相は照葉樹林です。

　ここは花崗岩類が風化して
できた土壌で、砂礫が多くて
色が白っぽい感じです（写真
2）。水はけは良いのですが、

写真2　皆伐した翌年の 2005 年 9 月の現場

写真3　皆伐6年後の 2010 年 9 月の現場

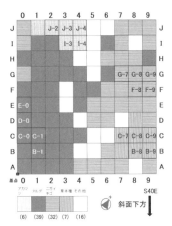

図2　10m × 10m の方形区のイメー
　　　ジと選定された小方形区

小方形区に名称が書かれているものが土壌
を調査した区。凡例下の（ ）内の数字は、
小方形区数を示す。

逆にいえば水持ちが悪いという特徴になります。皆伐後に、その範囲の中心部に 10m × 10m の方形区が設置されました。さらに縦方向と横方向に 1m ごとに杭を打ってロープを張り、小方形区が作られています。植物がない状態から 6 年経つと、周りから種子が供給されるなどして様々な植物が生えてきます（写真 3）。小方形区ごとに 6 年経過した状態の優占種（被度％が高い植物）を調べ、アカマツの成長（地際直径や樹高）、出現植物の高さ・被度％、出現種類数などを調べました。優占種としては、アカマツ、ヌルデ、ニガイチゴと、草本種（メリケンカルカヤあるいはススキなど）があげら

れます。それらの各優占種に着目して、深さ 0 ～ 5cm の土壌の最大毛管容水量、礫量などの測定も行いました。

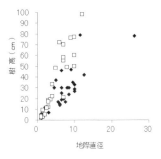

図 3　4 年生以上のアカマツにおける
地際直径と樹高の関係
◆アカマツ優占区　□ヌルデ優占区

　皆伐から 6 年後の調査時には、個体数の差は大きいですが、アカマツの実生や幼木が各優占区においてみられました。アカマツは、節（枝分かれしている位置）の数を数えると樹齢を推定できます。特にアカマツ優占区とヌルデ優占区に着目して、4 年生以上のアカマツの幼木について地際直径と樹高の関係を調べました（図 3）。同じ地際直径で比較すると、ヌルデ優占区のアカマツの方が、アカマツ優占区のアカマツよりも樹高が高いことがわかります。深さ 0 ～ 5cm の土壌の径 2mm 以上の礫の重さの割合と最大毛管容水量との関係も調べました（図 4）。その結果、礫の割合が減って細かい土粒子の割合が増えると最大毛管容水量が増えるという関係にあることがわか

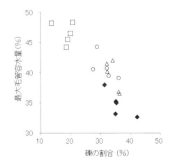

図 4　深さ 0 ～ 5cm 土壌の礫の割合と
最大毛管容水量の関係
◆アカマツ優占区　　□ヌルデ優占区
△ニガイチゴ優占区　○草本種優占区

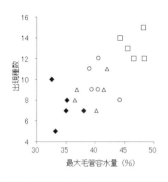

図5 深さ0〜5cm土壌の最大毛管容
水量と出現種数の関係
◆アカマツ優占区　□ヌルデ優占区
△ニガイチゴ優占区　○草本種優占区

りました。深さ0〜5cm の土壌の最大
毛管容水量と出現種数との関係をみると、
最大毛管容水量の増加に伴い、出現種数
も増加する傾向がみられました（図5）。
すなわち、アカマツ優占区の表層土壌は
乾燥しやすく、出現する植物の種類も少
なく、アカマツの伸長成長も良くありま
せんでした。
　一方、ヌルデ優占区の表層土壌は、最
大毛管容水量が高くて比較的乾燥しにく
い環境であり、他の植物も多く生育して
いることがわかりました。ヌルデ優占区のアカマツの伸長成長は良いの
ですが、ヌルデがアカマツよりも樹高が高いため、調査時点ではアカマ
ツに対する上方からの光はヌルデによって制限されている状態でした。
しかし、上方を他の樹種に覆われていないアカマツ優占区のアカマツは、
その後も順調に生育するものと思われます。このように狭い範囲でも、
土壌条件の違いで植生の再生の様子も違ってくるようです。

■ 砂防堰堤上流側にみられる森林植生と土壌環境

　六甲山系は、大部分が花崗岩類から形成されているため地形が急峻で、
斜面崩壊や土砂（石）流の発生が多い地域として知られています。この
ような地域では、それらを防ぐための砂防ダムや治山ダム（ここではそ
れらを総称して「堰堤」と呼びます）が、同じ流路内にたくさん設置さ
れています。これらのうち、堰堤上流側が砂礫によって満杯となったま
ま比較的安定している部分に森林植生がみられるところがあります。六
甲山系の鉢巻山（標高898m）近くの渓流部で、そのような森林の土壌
を調べる機会がありました。ちなみに、そこの標高は800m前後であ
り、気候的極相として夏緑林が発達する場所です。
　堰堤の上流側の砂礫堆積地を便宜的に「堰堤部」、その近くに位置す

る斜面崩壊地を「斜面部」と呼んで区別し、同じ流路で連続した複数の堰堤でそれぞれの調査を行いました。比較のために、周辺部斜面の森林（夏緑二次林）も調べました（図6）。

　堰堤の施工年代から推定すると、いずれも20年以下の比較的若い森林植生です。堰堤部と斜面部の森林植生の高さは、それぞれ、6m～9mと8m～10mです。一方、周辺部の夏緑二次林は高さが15mで、落葉樹のリョウブやコナラが優占していました。堰堤部と斜面部で共通して出現する樹種は、落葉樹のタニウツギ、ヤマヤナギ、オオバヤシャブシ、ウリハダカエデ、クマシデ、ウツギ、コゴメウツギ、コアカソなどです。そのうち、斜面部ではオオバヤシャブシ、堰堤部ではヤマヤナギが、それぞれ優占している地点が多くみられました。しかし、周辺部の夏緑二次林と共通する樹種は、斜面部でリョウブ、コナラ、ヤマツツジがわずかに生育するだけで、堰堤部には共通する出現樹種はほとんどありませんでした。

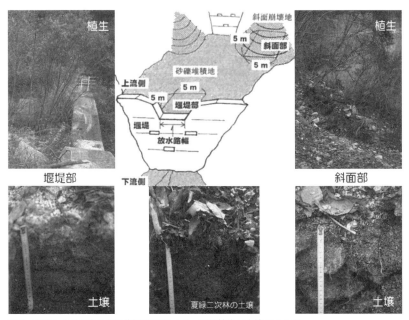

図6　調査した堰堤部と斜面部の位置のイメージの植生と土壌のようす

深さ 0 ～ 10cm の土壌は、100ml の円筒土壌試料の乾燥重量（容積重）が夏緑二次林で 100g 以下だったのに対して、斜面部で 116 ～ 143g、堰堤部で 124 ～ 150g といずれも値が高く、ち密で空気や水が入る隙間が少ないことがわかりました。また、斜面部では地表面や土壌中に大きな礫がたくさんみられました（図 6）。このような土壌環境では植物根の発達も容易ではないため、周辺部の夏緑二次林の構成樹種が斜面部や堰堤部へ侵入するのは難しいのかも知れません。

　今後も、様々な地上部の植生を調査するとともに、地下部の土壌も地味に調査したいと考えています。

〈引用文献〉
1）中西　哲・高橋竹彦（1975）再度山永久植生保存地調査報告書（第 1 回），神戸市土木局公園緑地部，1-39.
2）服部　保（1988）気候条件による日本の植生．「日本の植生　侵略と攪乱の生態学」（矢野悟道編），東海大学出版会，2-11.
3）武田義明（1993）六甲山系の植物群落．「六甲山の植物」，神戸新聞総合出版センター，158-167.
4）武田義明・飯島尚子・猿田けい・小舘誓治（2010）再度山永久植生保存地における植物群落の遷移に関する研究 VIII．「再度山永久植生保存地調査報告書（第 8 回）」，神戸市建設局公園砂防部，3-79.
5）小舘誓治（2009）六甲山系における砂防堰堤上流側に発達した森林植生とその土壌環境．日本造園学会誌（ランドスケープ研究），72，905-908.
6）小舘誓治・橋本佳延・武田義明（2015）再度山永久植生保存地における植生遷移と土壌理化学性との関係（第 9 回）．「再度山永久植生保存地調査報告書（第 9 回）」，神戸市建設局公園部，103-138.
7）小舘誓治・武田義明（2016）アカマツ林小面積皆伐初期におけるアカマツの定着・成長と土壌環境．人と自然，27，33-41.

神戸層群の年代を調べる

半田 久美子

■ はじめに

　神戸市須磨区から三田盆地にかけての地域には神戸層群とよばれる厚い地層が分布し、大きく3つの層に区分されています（図1）。厚さ800m近い泥層・砂層・礫層からなり、植物化石を含む凝灰岩をいくつも挟みます。神戸地域の神戸層群の最下部の泥層からは、汽水域〜海域に生息する貝の化石も発見されています。

　1985年頃までは、神戸層群の年代は、植物化石や貝化石の研究から新第三紀中新世中ごろのおよそ1,500万年前と考えられていました。ところが凝灰岩の年代測定をしたところ3,000万年前より古い年代が続々と得られ、新第三紀ではなく古第三紀の漸新世（約3,400〜2,300万年前）である可能性が出てきました。そこで植物化石や貝化石を再検討したところ、古第三紀に見られる分類群が含まれることがわかったの

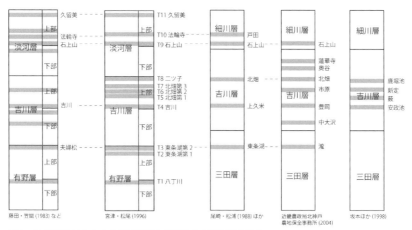

図1　三田盆地に分布する神戸層群の層序区分と凝灰岩の対比
太線が凝灰岩。

です。2000年には神戸層群の吉川層[9]下部（図1）でほ乳類化石が発見され、漸新世よりもさらに古い古第三紀始新世終わりの、およそ3,800万年前であることが示されました。

■ これまでに調べられた年代測定値

　3,800万年前は吉川層のほ乳類化石が産出した層準の年代といえます。それでは神戸層群全体の年代はいつ頃なのでしょうか。これまでに調べられた年代測定値を図2に示します。左から右に向けて、下位の凝灰岩から順に年代測定値を並べました。左端の東条湖凝灰岩が一番古く、右端の久留美凝灰岩が一番新しい年代値になることが期待されるのですが、3,800万年前から3,000万年前までの間に不規則に散らばっているように見えます。ここで注目してほしいのが、年代測定の方法が3種類あることです。四角で示したフィッション・トラック（FT）年代の中央値に着目すると、3,800万年前から3,000万年前、つま

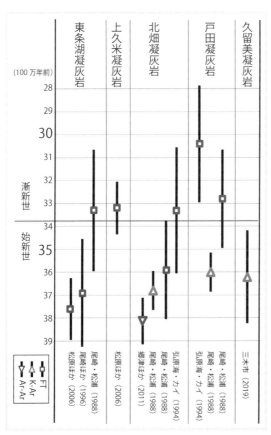

図2　三田盆地に分布する神戸層群の凝灰岩の年代測定値
□・△・▽は年代値の中央値を、黒い太線は年代値の誤差で1標準偏差を示す。

り始新世末から漸新世初めを示しています。ところが三角形で示したカリウム・アルゴン（K-Ar）年代と逆三角形のアルゴン・アルゴン（Ar-Ar）年代は、これよりも古く 3,800 万年前から 3,600 万年前の始新世を示しており、漸新世にはかかっていません。なぜこのような違いが見られるのでしょうか。

それぞれの測定方法には、次のような違いがあります。FT 年代測定法は、ジルコンなどの鉱物中に残されたウラン（^{238}U）核分裂の痕跡を測定する方法です。比較的低温（100 ～ 250℃）で痕跡が消えるため、マグマから晶出した鉱物がそれ以下に冷却されてからの年代（火山岩の場合は噴火年代）がわかります。神戸層群ではジルコンの結晶で測定されています。K-Ar 年代測定法と Ar-Ar 年代測定法は、カリウム（^{40}K）が放射壊変してアルゴン（^{40}Ar）になることを使って、マグマ中で結晶が晶出し、約 400℃以下に冷却してからの年代を測定します。カリウムはいろいろな鉱物に含まれるため、多くの鉱物に適用できるのが特徴です。神戸層群では黒雲母の結晶で測定されています。測定方法や測定に用いた鉱物が異なるために、図 2 に示すような年代値の違いが出ているのかもしれません。

■ 同じ鉱物を 2 つの方法で年代測定

この問題を解決するために、FT 年代とウラン鉛（U-Pb）年代測定という 2 つの方法を、ジルコンという鉱物を用いて同時に行うことにしました。U-Pb 年代は、ウラン（^{238}U や ^{235}U）の原子核が放射壊変して最終的に鉛（^{208}Pb）になることを用いた年代測定法で、ジルコン結晶が晶出した年代がわかります。この方法は測定誤差が 1 ～数％（2 標準偏差）と小さく、精度の高い年代値が得られます。同じジルコン粒子で 2 つの方法を実施することで、U-Pb 年代からジルコンが晶出した年代（噴火年代の下限）が、FT 年代から噴火年代が測定でき、両者の重なり方からより正確な噴火年代が推定できるわけです。

そこで年代測定に適したジルコンを含む凝灰岩をさがしました。これ

写真1　東条湖南岸の東条湖凝灰岩

までに報告のある凝灰岩と神戸層群の層序区分を図1に示します。もっとも下の「八丁川凝灰岩」を三田市西相野で調査したところ、風化しており新鮮な試料が得られませんでした。そこでひとつ上の東条湖凝灰岩を東条湖岸で採取しました（写真1）。最上部の細川層については、久留美凝灰岩の分布する三木市久留美付近の美嚢川と志染川の合流点付近で凝灰岩の調査を行なっています。地層の走向・傾斜を測定して上下関係を調べますが、この付近では地層がほぼ水平に分布しているだけでなく部分的にうねりが見られるため、離れた地点で見つけた凝灰岩の上下関係の判定が難しいです。東条湖凝灰岩と久留美凝灰岩の年代測定でどのような結果が出るか、今から楽しみです。

■ 始新世／漸新世問題

　ところで神戸層群の年代が始新世の3,600万年前まででも漸新世の3,000万年前まで続いても、あまり違いがないように思うかもしれません。ところがこの間に地球規模の大きな寒冷化がありました。そもそも始新世（約5,600〜3,400万年前）のはじめは約6,600万年前以降の新生代の中でもっとも気温が高くなった時期です。その後の始新世中期にも気温の高い時期があり、北海道までサバリテスというヤシ類の葉の化石が見つかっています。そして始新世後期に一転して寒冷化が進み、漸新世には南極に氷床が形成されました。

この始新世中期の高温期や始新世末の寒冷化のようすを神戸層群が記録しているのかどうか、明らかにしたいのです。神戸層群では、下部に当たる三田層の東条湖凝灰岩から産出する植物化石は全縁といって葉の縁にギザギザのない種類が多く見られ（写真2左）、暖かい気候であったことが推定されます。しかし、東条湖凝灰岩より上位では、葉の縁にギザギザのある鋸歯縁を持つ種類が増加します（写真2右）。神戸層群の各層の年代が明らかになれば、当時陸続きであったロシアや中国の植物群との比較も詳細にできそうです。

左　ミフクラギ属の一種（キョウチクトウ科）
　　長さ：18cm、採集地点：東条湖、
　　資料番号：D1-009144／堀コレクション
右　ケヤキ属の一種（ニレ科）
　　長さ：6cm、採集地点：神戸市西区、
　　資料番号：D1-016794／高岡コレクション

写真2　神戸層群から産出した葉の化石

■ さいごに

　年代のほかにも問題が残っています。三田盆地の凝灰岩の対比（図1）がまだ十分正確ではないのです。東条湖凝灰岩の対比は研究者間で見解がほぼ一致していますが、その上の吉川層と細川層の凝灰岩の対比にはいろいろな説があり、細かく検討していくとつじつまが合わないのです。この原因には、似たような層相（顔つき）の凝灰岩が多いこと、鍵になる特徴的な層がないこと、側方に変化すること、ほぼ水平に分布するがうねりや地滑りによるずれがあることなどがあげられます。大き

な露頭ができて凝灰岩の上下関係を直接確認できるとよいのですが、そううまくはいきません。まだまだ先は長そうですが、いずれは神戸地域の凝灰岩との対比もできることを目指して調査を続けたいと思います。

〈引用文献〉

1）近畿農政局北神戸農地保全事務所（2004）平成 15 年度 北神戸農地保全事業 地すべり総合検討業務（その 5）報告書．国際航業株式会社

2）郷津知太郎・谷保孝・竹下浩征・兵藤博信（2011）神戸層群北畑凝灰岩に含まれる軽石中の黒雲母の $^{40}Ar/^{39}Ar$ 年代測定．地質技術，1 巻，19-25.

3）藤田和夫・笠間太郎（1983）神戸地域の地質．地域地質研究報告（5 万分の 1 地質図幅），地質調査所，115p.

4）松原尚志・三枝春生・加藤茂弘・岩野秀樹（2006）兵庫県三田地域における古第三系神戸層群の哺乳類化石産地層準の F-T 年代．日本地質学会学術大会講演要旨集．113：67p.

5）宮津時夫・松尾裕司（1996）神戸層群の植物化石層．地学研究，45（1），3-10.

6）尾崎正紀・松浦浩久（1988）三田地域の地質．地域地質研究報告（5 万分の 1 地質図幅），地質調査所，93p.

7）尾崎正紀・松浦浩久・佐藤喜男（1996）神戸層群の地質年代．地質学雑誌，102，73-83.

8）阪本龍馬・岩田英明・竹村厚司・西村年晴（1998）兵庫県加東郡東条町南西部における古第三系神戸層群の岩相層序および地質構造．人と自然，9, 9-18.

9）TSUBAMOTO, T., MATSUBARA, T., TANAKA, S. & SAEGUSA, H. (2007) Geological age of the Yokawa Formation of the Kobe Group (Japan) on the basis of terrestrial mammalian fossils. Island Arc, 16, 479-492.

10）弘原海清・ギェム ヴ カイ（1994）神戸層群凝灰岩のジルコン・フィッショントラック年代．フィッション・トラックニュースレター，7，38-39.

兵庫の海にさぐる氷河時代の環境変動

佐藤 裕司

　現在は「氷河時代」である。といわれても、皆さんはピンと来ないかもしれません。地球は約46億年前に誕生してから今日までの間に、何度か氷河時代と呼ばれる寒冷な時代を経験してきました。先カンブリア時代の原生代（25 ～ 5.4億年前）には、スノーボールアース（雪玉地球）という地球全体がほぼ凍結した時期が数回あったとされています。雪玉にならずとも、北半球と南半球の両方に大陸を覆う氷河（「氷床」といいます）が存在する時期を氷河時代とよびます。現在、北極にグリーンランド氷床、南極に南極氷床が存在します。よって、現在は氷河時代であり、地球史における寒冷な時代なのです。一方、恐竜が繁栄した中生代はホットハウス・アース（温室地球）とよばれる温暖な時代でした。恐竜が絶滅した約6,600万年前以降、気候は寒冷化へと向かい、現在の寒冷な時代は約260万年前に始まりました。

　ここでは、大阪湾と播磨灘沿岸で行った第四紀の環境変動をさぐる研究を紹介します。

■「第四紀」という時代

　約260万年前から現在は最新の地質時代「新生代第四紀」で、「更新世」と「完新世」に二分されます。第四紀には、寒冷な「氷期」と温暖な「間氷期」が周期的に繰り返されてきたことがわかっています。現在は間氷期にあたり、11,700年前から始まった温暖な「完新世」という時代です。

　第四紀のグローバルな気候変動は、図1に示す海洋酸素同位体曲線で表されます。海水の酸素同位体の ^{16}O と ^{18}O の比率（ $\delta^{18}O$ ）は地球上の海水と氷床との量的なバランスを反映し、氷期と間氷期を見きわ

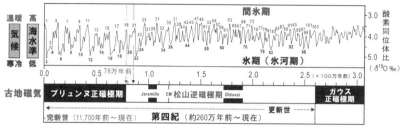

図1 新生代第四紀の気候変動と海洋酸素同位体ステージ（MIS）

MISによって気候変動の氷期／間氷期の繰り返しがカレンダーのように示されます。このカレンダーをみると、最近の80万年間では、約10万年ごとに氷期と間氷期が繰り返されたことがわかります。

める手がかりになります。この酸素同位体曲線がいわば氷期／間氷期のカレンダーというわけです。カレンダーでは、完新世を海洋酸素同位体ステージ（Marine Isotope Stage、略してMIS）の1とし、奇数番号のステージが間氷期、偶数番号が氷期を示します（図1）。現在から見て最後の氷期（MIS 2〜4）を「最終氷期」といい、約2万年前が最寒冷期で、その時には氷床が北半球を広く覆っていました（図2）。一方、「最終間氷期」は、現在より一つ前の温暖期（MIS 5）の中で、とくに約12.5万年前の最暖期（MIS 5.5）を指します。このような第四紀の気候の寒暖の繰り返しに伴い、海水準（平均海水面）も変動を繰り返してきました。

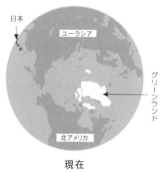

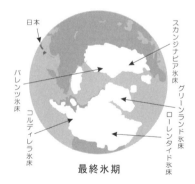

図2 北半球の氷床分布、現在と最終氷期

氷期の地球上では主に北半球の高緯度地域に氷床が拡大しました（図2）。氷期には海洋から蒸発した水が氷の中にとどまるため、海水量は減少して海水準が低下します。たとえば、最終氷期の最寒冷期には、海水準は現在よりも 120 ～ 130m 低下しました。当時の海岸線は現在よりもずっと沖合にあり、瀬戸内海は完全に陸化していました。このように海水準が低下して海岸線が沖合へ移動することを「海退」といいます。一方、温暖な間氷期になると、氷が融解して氷床は縮小し、海水量が増加して海水準は上昇します。海水準の上昇にともない、海岸線は内陸へと移動します。この現象を「海進」といいます。第四紀には、気候の変動に伴って海退と海進が繰り返されてきました。

■ 現在の大阪湾は 21 代目の海

　現在の大阪湾とその周辺域では、地殻変動により 330 ～ 350 万年前から大地が沈降し始め、周囲から運ばれた堆積物が集積されて地層が形成されてきました。その地層中には海で堆積した「海成粘土層」が挟在します。その海成粘土（Marine clay を略して Ma という）は古い順に Ma 1 から 12 と名づけられ、現在の大阪湾に堆積する粘土は Ma 13 とされています。つまり、現在の大阪湾は 13 代目の海であると、かつては考えられていました。ところが、調査が進むにつれて、Ma 1 よりも下位に 3 枚の海成粘土（Ma -1、0、0.5）、さらには Ma 1 と 2 の間にも別の海成粘土が存在し、今では計 21 枚の海成粘土が確認されています（図3）。そして、これらの海成粘土層の形成期は、周期的に訪れる間氷期に対比されています。この調査研究には、当館の地学系収蔵庫に保管されている 1,700m ボーリングコア（神戸市東灘区）が大きく貢献しています。

　以上のグローバルな気候変動との対比から、最初に大阪湾が海になったのは氷期／間氷期カレンダーにおける約 124 万年前の間氷期（MIS 37）であることがわかりました[1]。それ以降、大阪湾は氷期の海退時には「陸」となり、間氷期の海進時には「海」となることを繰り返しな

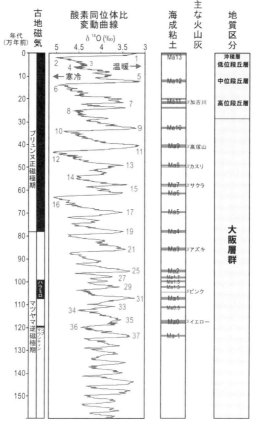

図3 海洋酸素同位体ステージ（MIS）と海成粘土（Ma）
との関係

がら、今日に至っています。いま私たちが見ている大阪湾は、地層中の
海成粘土の数から21代目（MISの数では17代目）の海ということに
なります。

■ 播磨灘は何代目？

　播磨灘も大阪湾と同様の地史をたどってきたのでしょうか。その答え
は揖保郡御津町（現在、たつの市御津町）で採取されたボーリングコア
と、播磨灘沿岸に分布する地層中に見出すことができます。

御津町では 1994 年に町史編纂（へんさん）事業の一環で、深度約 90m に達するボーリングコアが採取されました。そのコアの分析では、最終間氷期の海進を示す海成粘土 Ma12 層が確認されましたが、それより下位に海成粘土は存在しませんでした[2]。このことは、最終間氷期の播磨灘が現在とほぼ同様の海域で、それ以前の間氷期には御津町まで海が達しなかったことを示します。では、明石海峡や鳴門海峡を越えて、海が播磨灘へと進入したのはいつの時代でしょうか。

　その証拠となる地層の年代は、私と加藤主任研究員との共同研究によって明らかになっています。

・神戸市垂水区の高塚山粘土層 >>> MIS 11 の海進

　当館の 3 階展示室に、高塚山粘土層のはぎ取り標本が展示されています（写真 1）。この粘土層中には海棲の貝化石（かいせい）が密集する層があり、古くから「高塚山貝層」という名で知られていました。その貝層の下位には高塚山火山灰が挟在します。火山灰は地層の年代決定にとても重要で、とくに高塚山火山灰はフィッション・トラック（FT）年代測定法に必要なジルコンという鉱物を豊富に含有します。展示を計画した当時、高塚山火山灰には FT年代測定法から約 35 万年前と約 50 万年前という二つの年代値が与えられていました。展示解説では後者を採用しましたが、その後、年代を算出する方法（年代

写真 1　高塚山粘土層のはぎ取り標本（3F 展示室）

較正）の標準化がはかられ、これによって以前の年代値は信頼できなくなりました。そこで、新たに火山灰試料を採取して FT 年代測定を行ったところ、約 41 万年前という結果が得られました[3]。現在では、高塚山に及んだ海進は氷期／間氷期カレンダーにおける約 40 万年前の間氷期（MIS 11）に対比されています。これにより、MIS 11 の時代には垂水区のある明石海峡付近が海であったことがわかりました。

　ところで、展示室のはぎ取り標本では、火山灰がうまく採取できていません。新たにはぎ取り標本を製作したいところですが、高塚山では明石海峡大橋に至る有料道路が建設され、それに伴う周辺の開発で露頭はほぼ消滅しました。現在、地層をはぎ取った場所は大手家電量販店の店舗となっています。

・加古川市上荘町の海成層 >>> MIS 7 の海進
　加古川周辺に及んだ海進は「日岡海進」と名づけられています。その名称は、かつて加古川市日岡地区に分布する高位段丘の地層中に海棲動物の巣の痕跡とされる生痕化石が見出され、段丘形成と海進との関係が論じられたことに由来します。しかし、海進の時期については確かな証拠がありませんでした。

　その時期を示す証拠は、加古川市上荘町都台地区の段丘堆積層中に残されていました（写真 2）。この地層は、1995 年 8 月に加古川市在住の高校生が植物化石を寄贈してくれたことがきっかけで、その存在を知ることとなりました。植物化石は暗灰色の粘土層中に含有され、

写真 2　加古川市上荘町で観察された地層（1996 年当時）

その粘土が海成と直感し、高校生の情報をもとに詳しい調査を行うことにしたのです。上荘町で観察される粘土層中には、浅海域に生育する珪藻（けいそう）という微小な藻類の化石が含有され（写真3）、その粘土層が海成であること

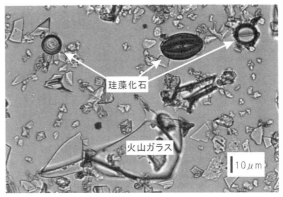

写真3　顕微鏡で見た堆積物中の珪藻化石と火山ガラス
珪藻はいずれも内湾の浅い海域にいる海水生種で、火山ガラスは加古川火山灰に由来する。

を示します。さらにこの粘土層には、年代の決め手となる火山灰も含まれていました。火山灰は「加古川火山灰」と名づけられ、詳しい分析の結果から、大阪湾や琵琶湖の地質調査で報告された約21.5万年前の火山灰と同じであることが判明しました。これにより、日岡海進は氷期／間氷期カレンダーにおける約22万年前の間氷期（MIS 7、とくに MIS 7.3）に対比されると結論づけられました[4]。

　以上から、約40万年前の間氷期（MIS 11）には明石海峡付近まで海は達し、その後、西へと海域は広がり、約22万年前の間氷期（MIS 7）に加古川まで達しました。そして、最終間氷期（MIS 5.5）には御津町にまで広がり、現在の播磨灘と同様の海域になったと推定されます。播磨灘の誕生は約40万年前以降のことで、現在と同じ規模の海域としては2代目と考えられます。

　このように、大阪湾と播磨灘は第四紀の気候変動と地域特有の地殻変動とが組み合わさって形成されてきました[5]。気候変動の歴史を振り返ると、これらの海域がいずれ陸になる時代がやって来るはずです。それは何年後でしょうか。

　現在の間氷期は約40万年前の間氷期（MIS 11）に似るという説が

あります。MIS 11 は約 28,000 年間持続したとされ、もし現在の間氷期も同じだけ続くとすれば、あと約 16,000 年は海の環境が続くことになります。ただし、この説には「人間活動が気候システムに影響を及ぼさなければ」という前提があります。現在、人間の活動は地球の様々なシステムを変え、人類はすでに新たな地質時代「人新世（Anthropocene）」に突入したとする見方があります。人間活動による地球温暖化が進む中で、果たして氷期はまた訪れるのでしょうか。

〈引用文献〉
1) Biswas, D.K., Hyodo, M, Taniguchi, Y., Kaneko, M., Katoh, S., Sato, H., Kinugasa, Y. and Mizuno, K. (1999) Magnetostratigraphy of Plio-Pleistocene sediments in a 1700-m core from Osaka Bay, southwestern Japan and short geomagnetic events in the middle Matuyama and early Brunhes chrons. Palaeogeography, Palaeoclimatology, Palaeoecology, 148：233-248.
2) 佐藤裕司（1997）堆積物のイオウ含有量と珪藻遺骸群集からみた過去 80 万年間の堆積環境変遷. 御津町史第三巻, 地質・自然編 考古編：40-59.
3) 加藤茂弘・佐藤裕司・松原尚志・兵頭政幸・壇原徹（1999）六甲山地西麓に分布する高塚山火山灰のフィッション・トラック年代とその対比. 第四紀研究, 38：411-417.
4) 佐藤裕司・加藤茂弘・井上史章・兵頭政幸（1999）兵庫県・播磨平野東部で発見された酸素同位体ステージ7.3の海進堆積物. 第四紀研究, 38：401-410.
5) Sato, H., Ban, F., Katoh, S. and Hyodo, M. (2017) Sea-level variations during Marine Isotope Stage 7 and coastal tectonics in the eastern Seto Inland Sea area, western Japan. Quaternary International, 456：102-116.

第2章

化石から探る
生きものの進化

アンモナイト化石の研究からわかること

生野 賢司

■ 兵庫県のアンモナイト化石

　兵庫県で見つかる化石を尋ねられたら、多くの方が恐竜と答えると思います。恐竜化石の人気は凄まじく、博物館では小さなお子さんでも「ティラノサウルス」や「トリケラトプス」といった恐竜の学名をそらんじている場面をよく目にします。恐竜以外の古生物ではアンモナイトですら、「ゴードリセラス」や「パキディスカス」といった学名を覚えている子どもに出会うことはまずありません（そもそも大人にもほとんど知られていません）。日本地質学会が選定した「県の石」でも、兵庫県の化石は丹波竜（タンバティタニス・アミキティアエ）になっています。しかし県内の化石の研究史に目を向けると、アンモナイトは恐竜より 100 年以上も前から認識され、多くの種類が報告されている「歴史のある」化石です。

写真1　南あわじ市阿那賀の県道脇に設置されたディディモセラスの像
付近の海岸で多くの化石が産出したことにちなむ。ソフトクリームが垂れ下がったような形状が目を引く。

　兵庫県産のアンモナイト化石が初めて記載されたのは 1901 年のこと。淡路島で見つかった異常巻アンモナイト「ディディモセラス」に関する論文でした[1]。淡路島の南部には、約 7,000 万年前（白亜紀）の和泉層群（いずみそうぐん）という地層が分布しており、今ではアンモナイトや貝類をはじめとして、甲殻類や首長竜など、様々な

化石が産出することで有名です。道路工事や造成が盛んに行われた頃には特に多くの化石が産出したそうで、南あわじ市にはアンモナイトの巨像が設置されている場所もあります（写真1）。

　今回はそんな、兵庫県でも見つかるアンモナイトの化石をテーマに、形態の多様性や野外調査の様子などをご紹介します。

▓ 異常巻アンモナイトは異常ではない

　アンモナイトは、軟体動物（いわゆる貝類）の中でも頭足類（イカ・タコの仲間）に属する生物で、化石によく残るのは殻の部分です。現在生きているイカ・タコの仲間の多くは目立った殻をもっていないためピンとこないかもしれませんが、水族館で見ることができるオウムガイも頭足類に含められます。広義のアンモナイト類は古生代のデボン紀（約4億年前）に出現し、中生代の白亜紀の終わり頃（約6,600万年前）にすべて絶滅しました。3億4,000万年近い長い進化史の中で、1万種とも2万種ともいわれるほど多くの種が出現したことが知られています。

　アンモナイトは、殻の巻き方で大きく2種類に分けることができます。一つは皆さんがよくご存じの、すき間なく平面らせん状に巻くもので、「正常巻アンモナイト」と呼ばれます。もう一つは、正常巻アンモナイトに含められない多様な巻き方をするもので、「異常巻アンモナイト」と呼ばれます。異常巻アンモナイトの巻き方は、棒状、塔状、ヘアピン状など実に様々で、しかも異常という名で呼ばれるため、よほどおかしな生物なのだろうと思われるかもしれません。実際、かつては病的なものであるとか、進化の袋小路を示す末期的なものであるといった考え方もあったと聞きます。しかし研究の進展により、その巻き方は規則的であることが確かめられているうえ、アンモナイトの進化史において終盤だけでなく複数回現れたことがわかっています。最近では、「異常巻アンモナイト」は複数の系統に独立して出現したことなどから、この概念は大まかに形状を表現できる点以外に生物学的な意味がないと断じ

る意見すらあります[2]。

■ トロンボーン状のアンモナイト「ポリプティコセラス」

　生物としては正常巻アンモナイトと何ら変わりはない異常巻アンモナイトですが、その研究にはある困難が付いて回ります。それは、変わった巻き方ゆえに殻が破片化しやすいという問題です。私が研究を進めている「ポリプティコセラス属」を例に説明してみましょう。ポリプティコセラスは、後期白亜紀に北太平洋地域を中心に繁栄した異常巻アンモナイトです。その殻は3～5本程度の棒状部がU字形の転回部で連結した、楽器のトロンボーンのような形状をしています（写真2C）。破損のない化石があれば殻の全体像を簡単に知ることができますが、見つかる化石は破片となっている場合がほとんどです（写真2A）。そのため、ポリプティコセラスの各種が命名された際も、多くの種で断片的な化石が用いられていました（写真2B）。ここで問題になるのは、個体の全体像が不明確なまま断片的な標本に基づいて種が分類されているため、種を分けすぎている可能性があるということです。実際、1890年の原記載（その種が命名された記載）から100年以上経った1997年になって、それまで2種に分類されていた「種」同士が同じ種の異なる部分同士だったということが指摘されています[3]。

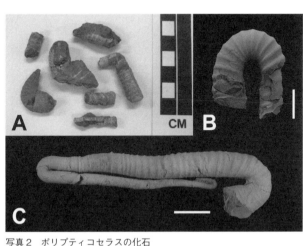

写真2　ポリプティコセラスの化石
A）よく見つかる断片の様子。B）ある種のタイプ標本（ミュンヘン古生物博物館所蔵）。C）個体のほぼ全体が保存された非常にまれな標本。BとCのスケールは1cm。

ポリプティコセラスは北太平洋地域だけでも12種が正式に記載されており[4]、私は他にも同様の問題があるのではないかと考えています。

■ 化石を見つけるだけではない野外調査

ポリプティコセラスが本当は何種いたのかを明らかにすべく、私は化石が多く見つかる北海道で野外調査を実施してきました。分類学の研究では、国内外の博物館に収蔵されている標本を再検討することも重要です。しかしこの研究では、自ら野外調査をして試料を集めることが必要不可欠でした。なぜなら、ポリプティコセラスの場合、博物館には鑑賞に耐えるような立派な標本があっても、詳細な産地情報が記録されているとは限らないからです。多数の標本を用いて種の分類を見直す際には、観察される形態の差異が同所での個体差なのか、地域差なのか、あるいは時代による違いなのか、などを検討する必要があります。そのためには、どの地域の、どの露頭の、どの層準（地層上の位置）で採取した標本なのか、という細かなデータが必要です。

北海道で白亜紀のアンモナイト化石が多産する地域では、河川水によって地層が削られることで新鮮な岩石や新たな化石が露出するため、川沿いに調査を行います（写真3）。冬期は積雪があるため、地元の熱心な愛好家を除けば、調査に適した季節は6～9月頃です。夏の北海道で調査と聞くと、涼しい中で快適だと思われることがありますがそれは誤解です。確かに北海道の

写真3　北海道で調査した蝦夷（エゾ）層群の露頭の例
豪雨による増水で露頭が侵食され、石灰質団塊（白い部分）が多数見えているが、必ずしも化石が入っているとは限らない。

夏は、本州と比べると湿度が低
いので過ごしやすい気候です。
しかし人里離れた山奥で、アブ
や蚊を追い払いながら、マダニ
に咬まれたりヒグマと遭遇した
りしないように注意しつつ、
データの記載や試料の採取をす
るというのは快適とはほど遠い
作業です（写真4）。

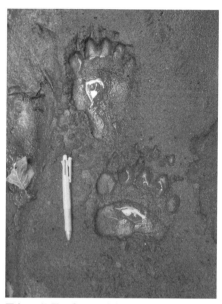

　前述のように、調査地ではた
だ化石を掘り出して集めればよ
いというわけではありません。
地層の分布や化石の産出地点を
正確に記録するため、まず一定
の歩幅で歩いてルートマップを
描きます。そして、川底や崖に
露出している岩石の種類や地質

写真4　河原に残された新鮮なヒグマの足跡
朝に通った際にはなく、上流を調査中に下流をヒグマが
歩いていたことになる。写真を撮影する余裕はあったが
恐怖を感じ、熊よけ鈴以外にも音を立てようと熱唱しな
がら帰った。

構造を観察して記載します。このような地層の観察は、別のルートと地
層を対比したり、古環境と生物相の関係を議論したりするのに役立ちま
す。地質の記載が済んだら、ようやく化石を採取します。露頭の表面で
目的の化石が見つかることはまずないので、石灰質団塊（ノジュール）
と呼ばれる硬い岩石を探して割ります。地層中に含まれる化石は普通、
圧力の影響で偏平に変形してしまいますが、石灰質団塊は圧力の影響を
受ける前に硬化するため、立体的な形状を留めた状態の良い化石が内部
に保存されているのです。地層に埋まっている石灰質団塊を掘り出し、
ハンマーで割って化石の有無を確認するのは大変な力仕事です。その上、
目に見える大きさの化石が一つも含まれていない場合もあるので、諦め
ずに探す根気が要ります。化石が見つかったら、小割にして目的の化石
のみを取り出して持ち帰る方法もあります。しかし私の研究の場合には、

できる限りアンモナイトの殻を壊さずに持ち帰る必要があったため、野外ではあまり割らずに大きな塊のまま包んでリュックサックに入れ、林道に駐車した車まで背負って運ぶという作業を繰り返しました。

■ 調査を終えて標本が完成するまで

　夏の野外調査から戻ると、現地で採取した石灰質団塊から目的の化石を取り出すクリーニング作業が待っています。気の遠くなるようなクリーニング作業を施して余計な石の部分を取り除くと、試料の重量は始めの 10 分の 1 以下になります。いずれ捨てるとわかっている部分を輸送するのに高い送料を払うのは毎度複雑な気持ちになりますが、良い状態の標本を得るためには必要なことなのです。こうしてようやく標本が完成します。

■ どんなことを調べているのか

　クリーニングの結果、写真 2C のように殻の大部分が保存された個体が多く得られました。この標本を使って、殻の形態を詳細に調べていきます。特に注目しているのは、表面装飾と呼ばれる殻の凹凸です（写真 5）。表面装飾は、これまでもポリプティコセラスの種の分類において重要な特徴とされてきましたが、同じ個体の中でも成長とともに形状が

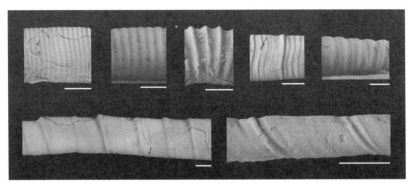

写真 5　ポリプティコセラスの殻表面に現れる装飾の例
1 個体の殻に複数種類の装飾が出現することもあるため、断片標本では別種と判断される可能性がある。スケールは 5mm。

変化する例が知られています [3, 5]。そこで、どのような種類の表面装飾が、殻のどの部位に現れるかをすべての標本について調べ、成長を通じた変化パターンが類似した形態ごとに標本をグループに分類する作業を進めています。今後は、各グループ内に観察される形態のばらつきが、同一種内の個体差として扱えるのかどうかを定量的に評価する必要があります。この検討が進めば、種の分類の問題にはひとまず着地点を見出すことができそうです。

■ 地味でも大切な研究に

化石の研究というと、よくニュースで報道される新種の発見を思い浮かべるかもしれません。確かに恐竜でもアンモナイトでも、毎年のように新種は発見され続けています。しかしその陰では、標本の蓄積や観察技術の進歩によって常に既存の分類体系が見直されており、場合によっては認識されている種の数が減る場合もあります。新種の発見のように脚光を浴びる研究ではなくても、今回ご紹介したような地味な作業を積み重ねることで、過去の生物多様性がどのような変遷をたどってきたのかをより正確に明らかにすることができるのです。

〈引用文献〉
1) Yabe, H. (1901) Note on three Upper Cretaceous ammonites from Japan, outside of Hokkaido. The Journal of the Geological Society of Tokyo, 8, 1-4.
2) Landman, N.H., Machalski, M., and Whalen, C.D. (2021) The concept of 'heteromorph ammonoids'. Lethaia, 595-602.
3) Okamoto, T. and Shibata, M. (1997) A cyclic mode of shell growth and its implications in a Late Cretaceous heteromorph ammonite *Polyptychoceras pseudogaultinum* (Yokoyama). Paleontological Research, 1, 29-46.
4) Ikuno, K. and Hirano, H. (2015) Nomenclatural review of *Polyptychoceras* and 18 related taxa (Ammonoidea: Diplomoceratidae). Swiss Journal of Palaeontology, 134, 227-232.
5) 岡本隆・岡田基央・小泉翔（2013）後期白亜紀異常巻アンモナイト *Polyptychoceras* の殻装飾に関する理論形態学的研究. 化石, 94, 19-31.

恐竜化石を求めてゴビ砂漠へ行く

久保田 克博

　2003 年 8 月。当時、筑波大学大学院の修士課程 2 年であった私は、モンゴルのゴビ砂漠に足を踏み入れました。初めて体感した限りなく広がる大地、深い青空、満天の星といった豊かな大自然に私は心躍っていたことを今でも鮮明に覚えています。

　それから 20 年近くが経ちますが、今でも毎夏ゴビ砂漠を訪れています。今回は私がなぜゴビ砂漠を訪れるようになったのか、そこでの発掘調査や研究の一部についてご紹介します。

■ 中里に行こう！

　私がモンゴルへ行く前年の 2002 年、修士論文の研究テーマである「手取層群北谷層の堆積環境と古土壌」[1] を進めるべく、福井県で野外調査を行っていました。そんなある日、私が恐竜研究について相談していた福井県立恐竜博物館の小林快次氏（現北海道大学総合博物館教授）が声を掛けてくれました。「明日、中里に行こう！」

　中里とは日本初の恐竜の足跡化石が発見された群馬県中里村のことで、私が生まれた県でもあります。そこにはモンゴル産の恐竜化石が数多く展示されている恐竜センターがあります。しかし私たちが中里に到着したのはすでに夜。恐竜センターが開いているはずもなく、小林氏の誘導で小さな集落に入っていきました。そこで出会ったのが元恐竜センターの担当であり、有限会社ゴビサポートジャパンを立ち上げたばかりの高橋功氏でした。

　高橋宅の蔵に入ると、大量の輸送用木箱が積み重ねられていました。その中にはモンゴル産恐竜の実物化石が入っていたのです。高橋氏曰く、「モンゴル科学アカデミー古生物学センター所長のリンチェン・バルス

ボルド博士と一緒に、モンゴル産恐竜を日本に紹介するために発掘や剖出、骨格組立、展示等のお手伝いをしている」とのことでした。続けて「今度、バルスボルド博士が来日するから、化石の整理を手伝ってほしい」と私に言われました。このことを契機として、バルスボルド博士と高橋氏の仕事を手伝うこととなり、修士論文をまとめつつ、化石の写真撮影や特別展の設営に奔走していました。そして、2003年7月に佐賀県で開催されたモンゴル恐竜展を無事にオープンさせて、私はモンゴルに初めて渡ることとなったのです。

■ 初めてのゴビ砂漠での発掘調査

　私が参加したゴビ砂漠の発掘調査は1990年代に開催していた大規模な一般向けツアーの名残ということもあり、現地では移動式住居のゲルが設営され、モンゴルチームはバルスボルド博士をはじめとする専門家、日本チームはアマチュアという構図でした。しかし、アマチュアといってもこれまで何度となくゴビ砂漠を訪れて、モンゴルチームと協働で発掘調査をしてきているため、ゴビ砂漠が初めての私はそこでの生活から基本的な発掘方法まで多くのことを学ぶことができました。

　2003年は白亜紀前期の地層が広がるフルンドッホで、イグアノドン類という恐竜化石の発掘調査の続きでした。手取層群に由来する硬い岩石をハンマーで割るのとは異なり、踏み固められたような砂地をスコップで掘り化石を探します。しかし、これまでの発掘で多くの部位がすでに掘り出されていたため、同年に発見できたものは数点の肋骨に留まりました。地層から発見された化石は概して脆く、そのままでは研究施設に持ち帰ることができず、保護が必要となります。私にとって、初めてのジャケットづくりの始まりです。

　ジャケットとは、石膏を染み込ませた麻布で化石を保護したものです。ここでは作り方の詳細は割愛しますが、覚えたての日本語とボディランゲージを駆使して、私に指導をしてくれたのが古生物学センター副所長のラハスレン氏でした（写真1）。また、ラハスレン氏は私にモンゴル

語を教えてくれたり、夜な夜
なモンゴル人で囲う宴に呼ん
でいただき、ポリタンクに
入った馬乳酒（馬乳を発酵さ
せた酒で、強い酸味と特有の
臭気がある）をたくさん飲ま
せていただいたりと、初めて
のゴビ砂漠での生活を楽しい
ものとしていただきました。

写真1　ゴビ砂漠で化石のジャケットをつくるモンゴル科学アカデミー古生物学センターの副所長ラハスレン氏（当時）。

■ ダイアステマはある？

　ゴビ砂漠での発掘調査に魅了されていた私ですが、2004年に修士課
程を無事に終え、恐竜化石を研究対象として博士課程に進むこととしま
した。しかし、これまで恐竜化石どころか脊椎動物化石を研究対象とし
て扱ったことがないため、解剖学用語がほとんどわからない状態でした。
そこで私は高橋宅の蔵に剖出作業のために保管されていたフルンドッホ
のイグアノドン類を教材として、時折訪れる小林氏の指導の下、骨の記
載や系統解析の練習を始めました。そう、この化石は2003年までゴビ
砂漠で発掘していたものです。実はフルンドッホからは既にアルティリ
ヌスという高い鼻面を持つ大型のイグアノドン類が記載報告されていた
ため、私が手にした標本（写真2）の研究を進めるに当たり、アルティ
リヌスとの比較は必須でした。

　幸いにも質の良いアルティリヌスの頭骨レプリカは国内博物館にも収
蔵されており、両者を比較する機会を得ることができました。まず、大
きな違いとして個体サイズがありました。アルティリヌスが全長8m
に対して、フルンドッホのイグアノドン類は4m余りと小型でした。
脊椎動物の成長段階を調べる一つの指標として、脊椎を構成する神経弓
と椎体の癒合が挙げられます。この特徴から、前者は成熟個体、後者は
未成熟個体ということがわかりました。また、骨の特徴に基づいた分岐

分析によれば、両者は互いに近い類縁関係であるとされました[2]。分析結果が示す通り、両者における骨の特徴の多くが類似している一方で、歯骨の筋突起の前後長や上角骨孔の有無など、いくつかの違いも見られました。そのひとつにダイアステマの有無がありました。ダイアステマとはハドロサウルス科の鳥脚類に見られるような前歯骨の後端と最前部の歯骨歯の間隙を指します。一般的にダイアステマは原始的なイグアノドン類では"ない"もしくは"短い"、ハドロサウルス科では"ある"もしくは"長い"とされています。しかし、同じ資料を観察しているにも関わらず、ある研究者は"ない"もしくは"短い"としたり、別の研究者は"ある"もしくは"長い"とする事例もありました。この混乱はそれぞれの用語に明確な定義が存在しないことに起因していました。

これを発端として、私はイグアノドン類における歯骨に対するダイアステマの長さについて、実物化石やレプリカ、論文から測定することにしました。その測定値によると、0.11 以下と 0.13 以上でそれぞれグループ分けされ、さらに先行研究を考慮すると、前者を"短い"、後者を"長い"とみなすことが妥当であるという見解に達しました[3]。しかし、この研究で注目すべき点はダイアステマの長短の定義ではなく、歯骨の長さが成長を示す指標と仮定した、個体成長に伴うダイアステマの伸長パターン（図 1）でした。原始的なイグアノドン類は記載された標

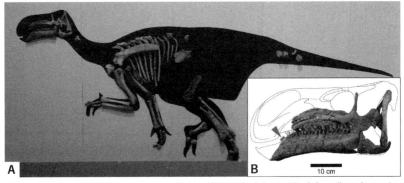

写真 2　フルンドッホで発見されたイグアノドン類の骨格（A）と頭骨（B）の化石（モンゴル科学アカデミー古生物学地質研究所所蔵）。（B）の矢印の部分がダイアステマに当たる。

本数が少なく、伸長パターンの調査は困難でしたが、ハドロサウルス科は北米を中心に歯骨の長さが異なる多くの個体が記載されています。これによると、ハドロサウルス科の1グループであるハドロサウルス亜科では歯骨に対するダイアステマ

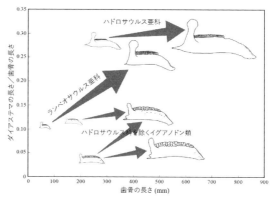

図1　イグアノドン類における個体成長に伴うダイアステマの伸長パターン（Kubota and Kobayashi, 2009 を改変）。

の長さがほぼ一定のまま、個体が大きくなっていることがわかりました。一方で、もう1グループであるランベオサウルス亜科では歯骨に対するダイアステマの長さが個体成長とともに大きくなることがわかりました。両グループにおけるダイアステマの伸長パターンの相違は、植物食に適応したそれぞれの顎の機能と関係しているのではないかと考えられています。

■ ゴビ砂漠東部で恐竜化石を掘る

　このように恐竜の研究をしている最中、毎夏のゴビ砂漠での発掘調査に小林氏が加わったことで、学術調査の様相を呈してきたこともあり、2006年からゴビ砂漠東部の新たな産地を調査することになりました。白亜紀後期前半に堆積したバヤンシレ層が露出するシネ・ウス・フタグと呼ばれる場所はバルスボルド博士曰く、「長らく調査が行われていなかった産地」とのことでした。

　先発隊として現地に入った小林氏と私は足元に多くの遊離した恐竜の骨化石を発見しました。その調査中に小さな丘の麓（写真3）を歩いていると、密集した骨の欠片を見つけることができました。さらにそれは丘の斜面にも散乱しています。それらを追って丘を登ると、その供給源

となった骨化石があり
ました。長径10cm、
短径3cmくらいの楕
円形の断面が見えたた
め、私たちは鳥脚類の
肩甲骨かと思い、発掘
を始めました。もし肩
甲骨であれば、50cm
くらいで全体像がみえ
るはずと予想していた

写真3　シネ・ウス・フタグの丘に埋没した竜脚類化石。

のですが、私たちの予想は外れ、1mの長い骨が目の前に現れたのです。
そして、その骨の端はL字に曲がっていました。

　その周囲をさらに発掘すると、華奢そうな頸椎の神経弓と思われる
50cm近い骨が複数見つかりました。期待と不安を抱きながら、丘の反
対側を調べると、数点の尾椎を発見しました。これらのことから、私た
ちの目の前にある丘の下には大型恐竜、骨の特徴から竜脚類がほぼ1
体分眠っていることが予測されたのです[4]。その後に開始される2週
間の調査には大きすぎる発見でしたので、私たちは可能な限り発掘し、
続きは後に来る国際チームに託すこととなりました。

写真4　ジャブクラント層から発見されたテリジノサウ
　　　ルス類の巣化石。

　こんな大発見から始まっ
たバヤンシレ層での発掘調
査ですが、現在でも調査地
点を変えて継続的に行って
います。その間には中～大
型の獣脚類[5]や竜脚類な
ど多くの恐竜化石の発見も
ありました。そして、同じ
白亜紀後期前半に堆積した
ジャブクラント層からは恐

竜類の営巣地 [6]（写真 4）も報告しています。

■ なぜ白亜紀後期前半の恐竜に惹かれるのか

　白亜紀後期後半の恐竜といえば、北米のティラノサウルスやトリケラトプス、モンゴルではタルボサウルスやヴェロキラプトルなど多くの名前が挙がると思います。白亜紀前期では北米に加えて、中国からも多くの化石が発見されており、特に中国産の羽毛恐竜等により多くの謎が解き明かされつつあります。しかし、約 1 億年〜 8,000 万年前の白亜紀後期前半というと、多くの方が恐竜の名前すら思い浮かばないのではないでしょうか。それは世界的に恐竜化石が極端に少ないことに起因し、見つかったとしても断片的なものがほとんどであることから、この時代に生きた恐竜たちの謎は深まるばかりです。

　兵庫県の篠山層群は"謎の時代"の直前に堆積した地層であり、交連状態のトロオドン科の骨化石 [7] や、中央アジアの"謎の時代"の地層で報告される獣脚類の薄く長い脱落歯 [8] が発見されています。まさにバヤンシレ層と比較するには最高のフィールドということができます。今後、私は篠山層群やバヤンシレ層等の化石調査を経て、"謎の時代"の恐竜たちの謎解きにチャレンジしていきたいと思います。

〈引用文献〉
1) 久保田克博（2003）福井県勝山市北谷地域に分布する手取層群北谷層の堆積環境と古土壌. 日本地質学会第 110 年学術大会講演予稿集, 75.
2) Kubota, K., Kobayashi, Y., and Barsbold, R. (2005) New material of iguanodontian (Dinosauria: Ornithopoda) from the Lower Cretaceous Shinekhudag Formation, Choir Basin, Mongolia. 65th Annual Meeting of Society of Vertebrate Paleontology, 81A.
3) Kubota, K. and Kobayashi, Y. (2009) Evolution of dentary diastema in iguanodontian dinosaurs. Acta Geologica Sinica 83 (1), 39-45.
4) Barsbold, R., Kobayashi, Y., and Kubota, K. (2007) New discovery of dinosaur fossils from the Upper Cretaceous Bayanshiree Formation of Mongolia. 67th Annual Meeting of Society of Vertebrate Paleontology, 44A.

5) Kobayashi, Y., Tsogtbaatar, K., Kubota, K., Lee, Y., Lee, H., Barsbold, R. (2014) New ornithomimid from the Upper Cretaceous Bayanshiree Formation of Mongolia. 74th Annual Meeting of Society of Vertebrate Paleontology, 161A.

6) Tanaka, K., Kobayashi, Y., Zelenitsky, D.K., Therrien, F., Lee, Y.-N., Barsbold, R., Kubota, K., Lee, H.-J., Chinzorig, T., and Idersaikhan, D. (2019) Exceptional preservation of a Late Cretaceous dinosaur nesting site from Mongolia reveals colonial nesting behavior in a non-avian theropod. Geology 47 (9), 843-847.

7) 三枝春生・池田忠広・半田久美子 (2012) 篠山層群産恐竜化石の追加標本について. 日本古生物学会 2012 年年会講演予稿集, 14.

8) 久保田克博・三枝春生・池田忠広 (2021) 兵庫県丹波地域の下部白亜系篠山層群から産出した獣脚類恐竜の歯化石の分類学的帰属に関する予察的報告. 日本古生物学会第 170 回例会講演予稿集, 19.

小さな「ヘビ類化石」が教えてくれること

池田 忠広

　「化石」と聞いて、皆さんが最初に思いつくのはどのようなもので
しょうか？　恐らく多くの方が、恐竜やアンモナイトなどを頭に思い浮
かべるのではないでしょうか。事実、これらの絶滅生物は書籍やメディ
ア等でも頻繁に取り上げられ、博物館の展示においても中心的存在に
なっています。しかしながら、「化石」は微生物など肉眼では確認でき
ないものや、全長数十メートルにもなる恐竜類など、その大きさや種類
も様々です。ここでは私が長年携わっている「小さく目立たない化石：
ヘビ類化石」について、その研究の一部を紹介します。

■ 小さな化石との出会い

　私と小さな化石との出会いは大学四回生の時に遡ります。研究室配属
が決まり教授と卒論のテーマについて意見を交換する機会がありました。
無学だった私は「恐竜」の研究を希望しました。しかしながらその願い
は一蹴されました。「それでは何なら研究できますか？」と教授に尋ね
たところ、「そうねー、私
は長いものが嫌いだから、
ヘビなんてどう？」という
答えが返ってきました。こ
うして私の研究テーマは
「ヘビ類化石」に決まりま
した。

　琉球列島の各島々に分布
する上部更新統（約２～１
万年前）の裂罅充填堆積

写真1　裂罅充填堆積物がみられる海岸縁

写真2 沖縄島呉我山赤木又（浅海堆積物）

物や洞穴堆積物（写真1）、また下部更新統（約150万年前）の浅海堆積物（写真2）から、多数の脊椎動物化石が産出しています[1]。現在、同列島にはアマミノクロウサギやリュウキュウヤマガメなど多くの固有種を含む多種多様な生物が生息しています。同地域は生物地理学的には東洋区に区分され、各島々の豊かな生物相は、同列島の地史の変遷に伴う、動物群の移動・分散・分断・隔離によって形成されたと考えられています[2,3]。その過程については様々な研究手法をもとに議論されており[1]、特に遺伝学的研究は盛んで、高い確度で各分類群の種分化の時期や、移動侵入、分散過程が検討されており、幾つかのモデルが示されています[4,5]。しかしながら、上記の議論において化石記録はあまり考慮されていません。化石は過去における各生物の生息状況を示す直接的な証拠です。したがって、同列島の生物群の成り立ちについてより詳細な理解を得るためには、多くの生物学的情報と供に、各地質時代の生物相を明確に示す化石を考慮した包括的な研究が必要となります。前述したように同列島の更新統堆積物からは多数の脊椎動物化石が産出しています。私が担当することになったのは、その中でも研究例や情報が乏しい「ヘビ類化石」でした。

■ 研究の始まり

　皆さんヘビの化石というとどのようなものを想像しますか？　くねくねした独特の長い体が保存されているものを想像するでしょう。しかしながら、私が扱っている化石はそのような"良い"資料ではありません。長く連なる背骨がバラバラになったもの、つまり単一の椎骨化石です。

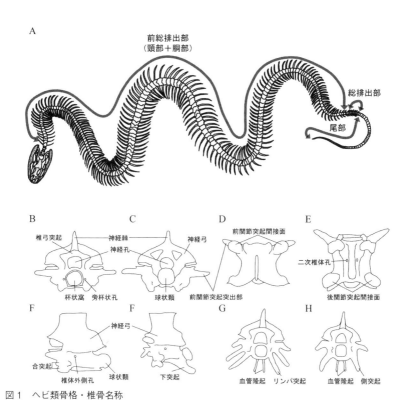

図 1 ヘビ類骨格・椎骨名称
A：全身骨格模式図、B〜F：胴部椎骨（B：前面、C：後面、D：背面、E：腹面、F：側面）、G：総排出
部椎骨（前面）、H：尾部椎骨（前面）。Ikeda（2007）を改変。

ヘビの骨格（図1）は、複数の細かな骨からなる頭骨と、種類によって
異なりますが125 〜 400個以上の椎骨[9]、およびそれらに対応する肋
骨からなります。ヘビ類の場合、化石として産出する多くの資料は、こ
れらの骨格要素がバラバラになったものです。中でも頻繁に化石として
発見されるのが比較的頑丈で数の多い椎骨の化石です。

　琉球列島産のヘビ類化石も、例にもれることなくその多くが遊離した
椎骨の化石で、各島々から他の脊椎動物化石ともに多数産出しています
（写真3）。それらの研究の歴史は1970年代にさかのぼります。同時代
には、島々の地質調査とともに化石の研究が精力的に実施され、他の脊
椎動物化石とともにヘビ類化石が報告されています。私の研究はそれら

写真3　多数の脊椎動物化石を含む石灰岩

の関係論文を読む（理解する）ことから始まりました。私が論文を読み進めるなかで率直に感じたことは「なぜこの種類に同定されているのか、理由がわからない」ということでした。私の研究はその「なぜ？　どうして？」という思いから始まりました。

■ ヘビの椎骨を調べる

　前述した先行研究においては、シカやイノシシなどの大型脊椎動物の記載（どのような種類でどのような化石なのかを記述する）が主で、ウサギやネズミ、カメやヘビ、特にヘビ類に関しては全体のリストに単に「ハブ：*Protobothrops flavoviridis*」と書かれており、多くの場合化石の特徴やその種とする根拠などが示されていません[7]。記載がある場合でも簡易的なもので、私の疑問を十分に解決してくれるものではありませんでした。そこで、化石の研究を進めるにあたり、最初に行ったことはヘビの椎骨について調べることでした。

　皆さんもご存知のとおり、ヘビ類は爬虫類（はちゅうるい）の一グループです。ヘビ類は極地を除くあらゆる地域に生息しており、現在 3,900 を超える種が確認されています[8]。日本及び琉球列島においても 37 種・亜種（移入種を除く）の陸生ヘビ類が生息しており、それぞれの種は類縁関係の近さで属や科というようにまとめられます。例えばハブ（*Protobothrops flavoviridis*）の各分類階級を示すと、爬虫綱・有鱗目（ゆうりんもく）・ヘビ亜目・クサリヘビ科・ハブ属・ハブとなります。そして、階級ごとに標徴（どのような特徴をもつのか）が定められています。つまり化石が示す特徴とこの標徴を比較することで、どのグループのものか特定することができるのです。

そこでヘビ類の椎骨に関し、各階級の標徴の有無、その内容について調べたところ、ヨーロッパや北米においてはヘビ類椎骨化石の研究[6,9]が盛んにおこなわれており、同地域に生息する現生種の情報をもとに各階級の標徴が示されていました。一方、日本を含むアジア地域においては、ヘビ類の椎骨に関する研究は皆無に等しく、各階級でどのような特徴をもっているのか、また他地域のヘビ類をもとに定義されている上位分類群（例えば科）標徴をそのまま適用できるのか判然としない状況でした。つまり、化石のグループを特定するための指標がないのです。私は「そうか、それではその指標を作ろう」と思いたち、研究は次のステージに進みました。

■ 椎骨を観察して指標を作る

　ヘビ類の骨格は前述したとおり、頭骨、椎骨、肋骨からなり、椎骨が連なる脊柱は一般に前方から頸部、胴部、総排出部、尾部に区分されます[3]（図 1）。総排出部・尾部椎骨はリンパ突起、側突起、血管隆起が発達するため、前総排出部（頸部＋胴部）と明瞭に区分されます。一方、ヘビは四肢が無く肩帯・腰帯も見られないため、漸移的に変化する頸部と胴部を明瞭に区分することは困難です（通常、頸部椎骨は神経腔［脊髄が通る穴］が大きく、胴部に比べ華奢：解剖学的研究では 11 番目までという見解もある[10]）。化石として多く産出するのは前総排出部の椎骨であり、主に胴部椎骨の特徴をもとに各分類階級の標徴が記載されています。私の研究資料も主に胴部椎骨であり、その分類には化石産出地域及び周辺域に生息するヘビ類の椎骨情報が必要不可欠です。そこで、私は日本及び琉球列島、また近隣地域に生息する現生種、6 科 27 属 46 種 8 亜種を対象に、前総排出部椎骨の 29 項目の形質（図 2）について検討し、先行研究の結果と照らし合わせながら、各分類階級の標徴を整理しました[11]。

　前述した通り現生ヘビ類は 3,900 種以上確認されており、私が検討できたものはその極一部にすぎません。しかしながら、少なくとも化石

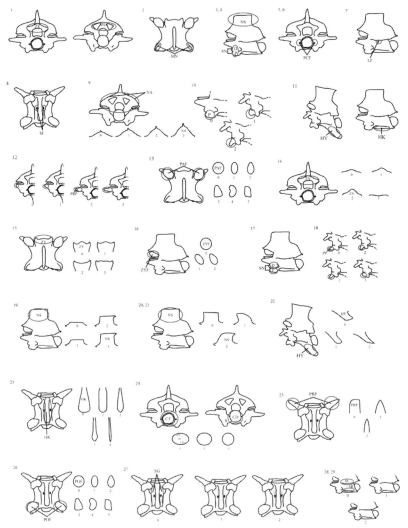

図2　比較検討した椎骨の形質

が産出地域に生息する種なのか、もしくはそれに近い系統のものである
のか、また未知の種なのかを判断する上では有益な情報です。指標はで
きました。私の研究は次のステージに進みます。

■ 化石を分類する

　前述した指標をもとに化石を分類していきます。対象となる資料は沖縄島呉我山赤木又の下部更新統浅海性堆積物（約150 ± 20万年前）から産出しているヘビ類椎骨化石9点です[12]。それでは最初になぜこれらが「ヘビ類の椎骨」といえるのか説明していきます。化石は左右対称で前後に貫通する穴（神経腔）、関節する構造（球状顆・杯状窩）、薄い板状の構造（神経棘）がみられることから脊椎動物の椎骨であることがわかります。また、関節構造が前凹後凸型（前凹・後凸）であることから爬虫類の椎骨であることがわかります。次に椎弓突起が発達し、肋骨間接面が二つに分かれること（合突起）などから、ヘビ類の椎骨であることがわかります。ここまでで、私の研究対象はヘビ類の化石であることがわかりました。それでは"指標"をもとにさらに答えを絞っていきます。ここではハブ属（*Protobothrops* sp. indet.）とされた化石についてその過程をご説明します（写真4）。まず化石は複数の神経孔（旁杯状窩孔・椎体外側孔・二次椎体孔）をもつことからナミヘビ上科（Superfamily Colubroidea）に属することがわかります。さらに下突起をもち、扁平状の神経弓、関節突起間接面が四角状であることから

クサリヘビ科（Ｆａｍｉｌｙ Viperidae）であることがわかります。そして、化石は前関節突起突出部が発達しないこと、また球状顆・杯状窩が卵形であることから、ハブ属（*Protobothrops* sp. indet.）とされます。さらに種まで絞りたいところですが、化石の保存状態が良好ではなく確認できない形質があるため、本標本では属までの分類が妥当

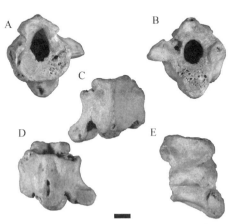

写真4　ハブ属の化石（*Protobothrops* sp. indet.）
A：前面、B：後面、C：背面、D：腹面、E：側面。スケール＝1mm。

と判断されます。このようにして他の標本を検討すると、ハブ属に加えナミヘビ科アオヘビ属（*Cyclophiops* sp. indet.）及びマダラヘビ属（*Dinodon* sp. indet. 2 タイプ）、コブラ科ワモンベニヘビ属ヒャン（*Sinomicrurus* cf. *japonicus*）に分類されることが明らかになりました。

■ 化石の研究が示してくれること

では化石の分類の結果がどのようなことを示しているのでしょうか。化石と同系統とされる現生種（ハブ：*P. flavoviridis*、リュウキュウアオヘビ：*C. semicarinatus*、ヒャン：*S. japonicus*）が現在の沖縄島に分布しており、このことから約 150 万年前の沖縄島を含む中琉球地域にこれらのヘビ類もしくはその祖先種が大陸から到達し生息していたことを示唆しています。またマダラヘビ属（*D. semicarinatum*：現在は*Lycodon semicarinatus* とされる）とされた化石は同島の同属現生種であるアカマタ（*D. semicarinatum*）とは明らかに異なることから、別種もしくは絶滅種の可能性があり、約 150 万年前の沖縄島地域には現在に比べ多様なヘビ類が生息していたかもしれません[12]。

いかがでしょうか？　私が扱っている資料は数 mm 〜 2cm ほどの、一見すると何の特徴もない化石です。しかしながら、それらは個々に資料としての価値があり、詳しく調べることで新たな科学的知見を得ることができます。私は今ではヘビ類に加え、トカゲ類やカエル類といった小さな化石の研究もしています。それらの化石は小さく地味ですが、私にとっては宝石のようです。今後も小さな標本がもっと光輝くように研究を進めていきたいと考えています。

〈引用文献〉
1）古川雅英・藤谷卓陽（2014）琉球弧に関する更新世古地理図の比較検討. 琉球大学理学部紀要 98：1-8.
2）太田英利（2002）古地理の再構築への現生生物学にもとづくアプローチの強みと弱点：

特に琉球の爬虫両生類を例にして. 木村政昭編, 琉球弧の成立と生物の渡来. 沖縄タイムス社, 那覇, 175-193.

3) 大塚博之 (2002) 琉球列島の古脊椎動物相とその起源. 木村政昭編, 琉球弧の成立と生物の渡来. 沖縄タイムス社, 那覇, 111-127.

4) Kuraishi, N., Matsui, M., Ota, H., Eto, K. (2021) Unique Evolution of *Hyla hallowellii* Among Amphibians of the Central Ryukyus, Japan (Anura: Hylidae). Zoological science, 38 (2) : 112-121.

5) Tominaga, A., Matsui, M., Shimoji, N., Khonsue, W.,Wu, CS, Toda, M., Eto, K., Nishikawa, K., Ota, H. (2019) Relict distribution of *Microhyla* (Amphibia: Microhylidae) in the Ryukyu Archipelago: High diversity in East Asia maintained by insularization. Zoologica Scripta, 48 (4) : 440-453.

6) Rage, J.C. (1984) Serpentes. Part 11. Handbuch der Paläoherpetologie, Encyclopedia of Paleoherpetology. Gustav Fischer Verlag., Stuttgart, 80p.

7) 長谷川善和 (1980) 琉球列島の後期更新世～完新世の脊椎動物. 第四紀研究, 18 (4) : 263-267.

8) Uetz, P., Freed, P, Aguilar, R., Hošek, J. (2021) The Reptile Database. http://www.reptile-database.org, accessed (Aug. 17, 2021).

9) Holman, J. A. (2000) The Fossil Snakes of North America: Origin, Evolution, Distribution, Paleoecology. Indiana University Press, Bloomington, Indiana, 257p.

10) Tsuihiji, T., Kearney, M., Rieppel, O. (2006) First report of a pectoral girdle muscle in snakes, with comments on the snake cervico-dorsal boundary. Copeia, 2006, 206-215.

11) Ikeda, T. (2007) A comparative morphological study of vertebrae of snakes occurring in Japan and adjacent regions. Current Herpetology, 26 : 13-34.

12) Ikeda, T., Otsuka, H., Ota, H. (2016) Early Pleistocene fossil snakes (Reptilia: Squamata) from Okinawajima Island in the Ryukyu Archipelago, southwestern Japan. Herpetological Monographs, 30 : 143-156.

太古のバードウォッチング～石になった鳥を探る～

田中 公教

■ はじめに

　鳥類は現在1万種以上が生息しており、体の大きさ、行動や生態は実に多様です。鳥類のなかでも主に海で生活しているグループは「海鳥」と称され、ペンギンのように水中に潜ることを極めた海鳥は、翼を小さくして飛ぶことをやめたり大型化したりすることがあります。すべての飛ばない鳥は空を飛んでいた祖先から進化し、その生活にあわせて姿を変えていったと考えられています。生き物が生活スタイルにあわせてその姿かたちを変えるにはとても長い時間がかかります。このような、地質学的なタイムスケールで生じる生き物のかたちの進化を解き明かすためには、地層のなかに保存された過去の生き物の痕跡である「化石」がカギとなります。

　私はそんな飛ばない海鳥の進化過程に興味をもっており、中生代の鳥類化石を材料として、空を飛ぶ「基本形」から水中に潜る「特殊形」にいたるかたちと生態の進化について研究しています。本稿では私の研究の一部として、骨のかたちから絶滅鳥類を探る「太古のバードウォッチング」についてお話したいと思います。

■ いかにして過去の鳥をウォッチするか？

　あなたの周りにはどんな鳥がいますか？　私たちの日々の暮らしのなかで、鳥はとても身近な生き物です。公園を歩けばスズメやハトなどを見かけ、港に行けばカモメの仲間が無数に空を舞っているのを目にします。双眼鏡を片手に野山を歩いてみると、さらに多くの野鳥に出会えるでしょう。双眼鏡の先に鳥の姿が見えたら、羽毛の色や模様、体型、飛び方、歩き方、泳ぎ方などを観察して、それがどんな鳥なのかを判断し

ます。このように、現在生きている鳥について知りたいときは、その鳥が生息している場所でバードウォッチングをすれば、その鳥の姿かたちや生態についてつぶさに調べることができます。

　ところで、あなたがもし「今の鳥」ではなく「絶滅した鳥」に興味があったとしたら、いかにして過去の鳥をウォッチすればよいでしょうか？　鳥類は後期ジュラ紀頃に小型肉食恐竜から分岐し、白亜紀には世界中に広がり、中生代末の大量絶滅を乗り越え今日まで生き延びたグループです。約 1 億 5,000 万年以上に及ぶ長い進化の歴史の中で、様々な鳥たちが絶滅と繁栄を繰り返してきました。今では絶滅してしまった鳥たちの生きている姿を見ることはできませんが、その姿かたちや生態を知る手掛かりは、化石として地層のなかに残されています。つまり、過去の鳥の姿かたちについて知りたければ、地層から"石になった鳥"を発掘すればよいのです。一般に、現在からみて新しい時代の地層から見つかる鳥ほど今の鳥に近縁で、古い時代の鳥ほど遠縁です（図 1）。特に中生代の鳥類の多くはアゴに歯

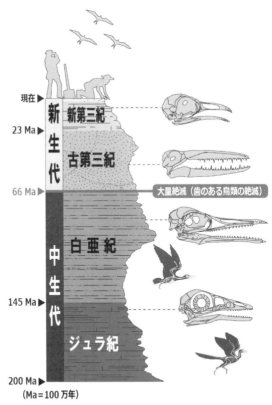

現在 ▶
23 Ma ▶
66 Ma ▶
145 Ma ▶
200 Ma ▶

新生代　新第三紀
古第三紀
中生代　白亜紀
ジュラ紀

（Ma=100 万年）

大量絶滅（歯のある鳥類の絶滅）

図 1　地質時代とそれぞれの時代に生息していた絶滅鳥類
新生代には顎の骨やクチバシの縁をとがらせてできた "ニセの歯" をもつ鳥類が出現したが、歯のある鳥類は中生代の終わりまでにすべて絶滅してしまった。2, 3, 4) をもとに作成。

をもち、小型の肉食恐竜ととても良く似ています。歯のある鳥は中生代の終わりまでにすべて絶滅してしまい、新生代の鳥類はアゴの骨やクチバシの縁をとがらせて作った"ニセの歯"をもつものはいるものの、本物の歯をもつ鳥は1羽たりとも生き残ることはできませんでした。

　それでは早速、双眼鏡をハンマーとルーペに持ち替え、太古のバードウォッチングに出かけましょう！……と言いたいところですが、化石発掘に行って狙った化石が都合よく見つかることはほぼありません。特に鳥類の化石は珍しく、発見するのはものすごく難しいのです。そのため、これまで発見された貴重な化石は世界中の博物館で収蔵されています。博物館が化石を標本として管理することで、いつ、どこで、誰が発見したどんな化石なのかを参照できるようになっているのです。研究者が特定の化石について調べたいときには、それが収蔵されている博物館まで赴き、化石を観察させてもらうことになります。

　また、野外で運良く鳥類化石を見つけることができたとしても、それが鳥の化石だと判断することは極めて困難です。なぜなら、化石となった鳥はほとんどの場合、羽毛や皮膚、クチバシなどは失われ、骨だけの姿となって見つかるからです。例えば、真っ黒な鳥を見てカラスだとわかっても、骨を見てカラスだと判断することはなかなか難しいでしょう（写真1）。

　石になった鳥たちを探したり調べたりする太古のバードウォッチングには、特殊な訓練が必要です。それは、骨の形を覚えること！　様々な鳥の骨格標本を観察して、頭や手足、背骨など、バラバラになった骨を部位ごとに覚えます。完全な形の骨じゃないと判断できないようではまだまだ

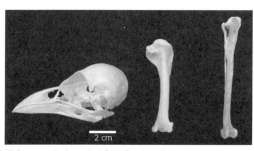

写真1　クイズ：これは何の鳥でしょう？
答えはハシブトガラス（*Corvus macrorhynchos*）。左より、頭骨、左の上腕骨、右の脛足根骨（けいそっこんこつ）。

未熟。端っこだけしか残されていないような、部分的な骨を見るだけで、それがどんな鳥のどの部位の骨なのかを判断できればできるほど、熟練のウォッチャーといえます。鳥類化石はもろく、たいていの場合はひどく壊れており、一部しか残されていないからです。このように、コツコツと骨への理解を深めて化石と向き合えば、「この時代のこの場所に、こんな鳥がいたのか！」といった発見をすることができるようになります。そして時には「この骨の特徴は、ほかのどの鳥とも違うぞ」という化石に巡り合うこともあり、こうして新種の絶滅鳥類が発見されるのです。

■ 海鳥化石との出会い

　私と鳥化石との付き合いが始まったのは 2011 年。当時、私は北海道大学の大学院生で、北海道三笠市に分布する後期白亜紀（約 9,000 ～ 8,300 万年前）の地層から発見された海鳥化石の研究を始めたばかりでした。この化石は、私が着手する前には、中生代の海鳥「ヘスペロルニス類」に属する化石であると判明していました。ヘスペロルニスはアメリカやカナダの内陸部でよく見つかる化石鳥類で、「西の鳥」という意味の名をもつ最古の海鳥のひとつです[1]。翼が極端に小さくなっており、飛ぶ力は失われていますが、かわりに約 1.5m の体格と潜水に特殊化した体のつくりをもちます（写真2）。飛ばない海鳥といえばまるでペンギンのようですが、ペンギンは翼

写真 2　最古の海鳥・ヘスペロルニス類
上：生体復元模型（カンザス大学自然史博物館所蔵）、下：全身骨格（イエール大学ピーボディ博物館所蔵）。

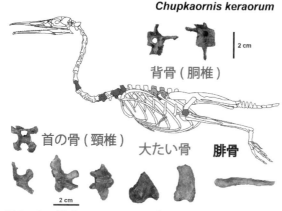

Chupkaornis keraorum

背骨 (胴椎)

2 cm

首の骨 (頸椎)　大たい骨　腓骨

2 cm

図2　チュプカオルニスのホロタイプ
化石は三笠市立博物館所蔵。骨格イラストは5）をもとに作成。

大たい骨

2cm

A　**B**　**C**
チュプカオルニス　バプトルニス　ヘスペロルニス

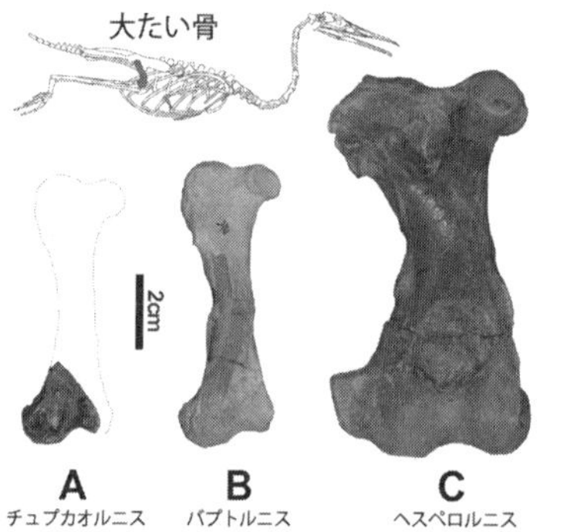

図3　大たい骨（左）の比較
A：チュプカオルニス（三笠市立博物館所蔵）
B：バプトルニス（カンザス大学自然史博物館所蔵）
C：ヘスペロルニス（イエール大学ピーボディ博
物館所蔵）
点線は欠損部。骨格イラストは5）をもとに作成。

を使って水中を泳ぐのに対し、ヘスペロルニス類は後ろ足で水をかいて泳ぎます。また、アゴに歯がある点でもペンギンとは大きく異なります。

その後の私たちの研究によって、北海道で見つかった海鳥化石はアジア最古の新種のヘスペロルニス類であることが判明しました。この化石は「チュプカオルニス・ケラオルム」と名付けられました。属名の「チュプカ」はアイヌ語で"東"、「オルニス」はラテン語で"鳥"を意味し、種小名は1996年に三笠市内でこの化石を発見した解良さんご兄弟のお名前に由来します。

チュプカオルニスには背骨や足の骨などの断片的な化石しか残っておらず、例えば大たい骨は端っこしかありません（図2）。北米の化石と比較してみましょう。ヘスペロルニスの大たい骨はがっしりとして大型なのに対し、より原始的なバプトルニスはほっそりとして小型です（図3）。チュプカオルニスの大たい骨はバプトルニスに似ていますが、細かい骨の特徴は異なります。論文の図だけでなく、実物化石を観察して比較できれば、より詳しいことがわかります。しかし、日本国内にはヘ

スペロルニス類の実物化石を収蔵している博物館はありません。研究をすすめるためには海外の博物館へ赴き、詳しい調査を行う必要がある！そう思い立った私は、いそいそと荷物をまとめ、調査の準備を始めるのでした。

■ 研究データは足であつめる！

ヘスペロルニス類の化石を求めて、北米の研究施設にて標本調査を行う日々が始まりました。さすが本場・北米大陸でみつかる化石は保存状態が素晴らしい。ほぼ全身骨格が発掘されているものもあり、たくさんのデータを取ることができました。研究データは、足であつめる！　その後もアメリカ、カナダ、そしてイギリス、ドイツ、ノルウェーなどにある様々な博物館を巡りました。とにかく世界中のヘスペロルニス類の骨化石を見て、見て、見まくり、スケッチや写真をたくさん撮り、計測し、細かな骨の形を覚え、夢の中でもヘスペロルニス類について考え…、そんな日々を過ごしました。

実はヘスペロルニス類の研究の歴史は古く、最古の鳥類として有名な始祖鳥の化石が発掘された 10 年後の 1871 年に、最初のヘスペロルニス化石が発見されています[1]。しかし、発見から 150 年以上経つにもかかわらず、この海鳥の系統や進化についてはあまりよくわかっていませんでした。そのため、これまでの調査によって集まった情報をもとに系統を解析するためのデータセットを作成し、パソコンで解析してみました。その結果、チュプカオルニスは新種のヘスペロルニス類だということがわかっ

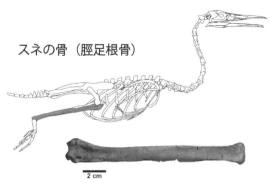

スネの骨（脛足根骨）

2 cm

図 4　兵庫県のヘスペロルニス類
左の脛足根骨。化石は兵庫県立人と自然の博物館所蔵。骨格イラストは 5) をもとに作成。

たのです [6]。

■ たった 1 本の骨化石が教えてくれること

　ヘスペロルニス類の化石は、兵庫県洲本市に分布する白亜紀末期の海の地層からも見つかっています（図4）。洲本市はアンモナイトなど中生代の海の生き物の化石がたくさん見つかることで有名です。洲本市から発見された化石は足の骨1本で、これだけではヘスペロルニス類であること以外、詳細な分類はわかりません。しかし、たった1本の小さな骨だと侮るなかれ。この化石は、白亜紀末期のヘスペロルニス類の生態について重要なことを教えてくれます。

　白亜紀末期のヘスペロルニス類の生態には大きなナゾがあります。海鳥であるヘスペロルニス類は通常、海の地層から見つかります。しかし白亜紀末期になると、突然、陸の地層からも化石が見つかるようになります。詳しいことはまだ不明ですが、どうやら湖や川などでの生活を好む種が北半球に広く現れたようです。そんな白亜紀末期のヘスペロルニス類化石に注目してみると、北米では海と陸の両方の地層から発見されているのに対し、アジアではモンゴルの陸の地層からのみ発見されています。従って、白亜紀末期のアジアでは内陸の生活に適応したヘスペロルニス類のみが生き残っていた可能性があったのです。洲本市の化石はこの仮説に一石を投じます。洲本市の化石は海の地層から見つかっており、海で生活していたヘスペロルニス類だと考えられます。この化石の発見により、白亜紀末期のヘスペロルニス類はアジアと北米において陸と海の両方で生息していたことがわかり、北半球で広く多様な生態があったことが明らかになりました [7]。このように、断片的な化石であってもその学術的な価値が下がることは決してありません。

■ おわりに

　鳥類に限らず、化石は偶然発見されるものです。老若男女、世界中の様々な人の手によって化石が発見され、研究が進んでゆきます。発見さ

れた化石は博物館に標本登録されると、様々な人が観察したり研究したりできるようになるため、人類共通の宝ものになります。化石の研究には多くの人の助けが必要です。ここで紹介した海鳥化石の研究についても、北海道や兵庫県の化石採集家の方々の協力なくしては成り立ちませんでした。研究に関わり、サポートしていただいた多くの皆様に改めて感謝！　本稿では絶滅鳥類の化石研究についてお話させていただきましたが、太古の生き物を研究する楽しさを少しでも伝えることができていれば幸いです。最後までお読みいただいた皆様にも、改めて感謝！

〈引用文献〉
1）田中公教，小林快次．（2018）ヘスペロルニス目：白亜紀の潜水鳥類の起源と進化．日本鳥学会和文誌．67：57-68.
2）Bhullar BS, Hanson M, Fabbri M, Pritchard A, Bever GS, & Hoffman E (2016) How to make a bird skull: major transitions in the evolution of the avian cranium, paedomorphosis, and the beak as a surrogate hand. Integrative and comparative biology, 56（3）：389-403.
3）Louchart A, Sire JY, Mourer-Chauviré C, Geraads D, Viriot L, & Buffrénil V (2013) Structure and growth pattern of pseudoteeth in *Pelagornis mauretanicus*（Aves, Odontopterygiformes, Pelagornithidae). PLOS ONE 8（11）：e80372.
4）Chiappe, L. M., & Dyke, G. J. (2002). The Mesozoic radiation of birds. Annual review of ecology and Systematics, 33（1）：91-124.
5）Martin, L. D., & Tate, J. (1976). The skeleton of *Baptornis advenus*（Aves: Hesperornithiformes). Smithsonian Contributions to Paleobiology, 27：35-66.
6）Tanaka T, Kobayashi Y, Kurihara K, Fiorillo AR & Kano M（2017）The oldest Asian hesperornithiform from the Upper Cretaceous of Japan, and the phylogenetic reassessment of Hesperornithiformes. Journal of Systematic Palaeontology. 16（8）：689-709.
7）Tanaka T, Kobayashi Y, Ikuno K, Ikeda T & Saegusa H（2020）A marine hesperornithiform (Avialae: Ornithuromorpha) from the Maastrichtian of Japan: Implications for the paleoecological diversity of the earliest diving birds in the end of the Cretaceous. Cretaceous Research. 113: 104492.

ナウマンゾウの祖先をエチオピアで掘る

三枝 春生

■ ナウマンゾウとの出会い

　約 36 万年前から約 2 万 3 千年前にかけて、ナウマンゾウ（写真 1）という絶滅種が、南は九州から北は北海道まで、日本中にいたことが知られています。保存の良いナウマンゾウの骨格化石は、静岡県、長野県、神奈川県、千葉県、北海道、そして東京都中央区日本橋浜町の地下鉄工事現場から発見されています[1]。

　浜町の化石が発掘されたとき、私はボランティアとして化石の修復作業に参加し、ナウマンゾウ頭骨の修復作業に熱中しすぎて受験勉強に身が入らず、浪人してしまいました。このようにナウマンゾウとの出会いは古いのですが、大学院でゾウの化石を研究することになったときには、浜町の化石の修復作業を一緒にした高橋啓一博士（現滋賀県立琵琶湖博物館館長）らがナウマンゾウを詳しく研究していたので、私はもっと古い時代のナウマンゾウ以外の長鼻類（ゾウの仲間）の化石を研究することにしました。しかし、浜町の

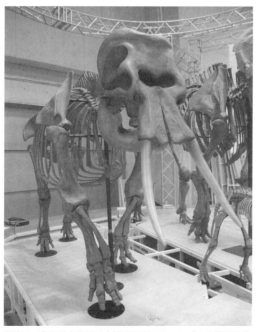

写真 1　東京都中央区日本橋浜町産ナウマンゾウの復元骨格

84

化石以来、頭の片隅に残っていた疑問がありました。それは、ナウマンゾウが大陸から日本に渡ってきたときにどのような顔をしていたのかという疑問です。

　ナウマンゾウやそれに近縁なユーラシアのゾウはパレオロクソドン（*Palaeoloxodon*）属（または亜属）に分類されています。パレオロクソドン属はロクソドンタ（*Loxodonta*）属（アフリカゾウの仲間）、エレファス（*Elephas*）属（アジアゾウの仲間）、マムーサス（*Mammuthus*）属（マンモスゾウの仲間）とともにゾウ科に分類され、ユーラシアのパレオロクソドン属の頭骨には、切歯骨という牙のつけ根となっている骨が先端に向けて強く左右に広がり、おでこに前頭頭頂隆起と呼ばれる横長の隆起があるという特徴があります。ナウマンゾウの頭骨は、千葉県成田市猿山から雄のものが（図1E）、浜町からは雌のもの（写真1）が発見されており、それらにも上記の二つの特徴が見られます。インドから発見されているパレオロクソドンの一種ナルバダゾウ（*Palaeoloxodon namadicus*）にも同じ特徴がありますが、前頭頭頂隆起は骨鼻口という気道につながる孔の上にオーバーハングするほど強烈です（図1D）。

　こうした違いがあることから、猿山産のナウマンゾウの頭骨を研究した犬塚則久博士は、大陸からわたってきたナウマンゾウの祖先の前頭頭頂隆起はそれほど強くなかったと推測しました[2]。ところが、中国河北省泥河湾から一つだけ発見されているパレオロクソドンの頭骨化石[3]（図1C）の前頭頭頂隆起は、ナルバダゾウ並みに強烈に発達しています。日本と中国で見つかっている頭骨になぜこのような差異があるのかについて当時は何の手がかりもなく、高橋さんとの議論の結果は「和風と中華風の違い」という、しょうもないものでした。

■ エチオピアのゾウ化石

　その23年後に、エチオピアで出会った化石をきっかけにナウマンゾウの祖先の謎をもう一度考える機会を得ました。1999年に、エチオピ

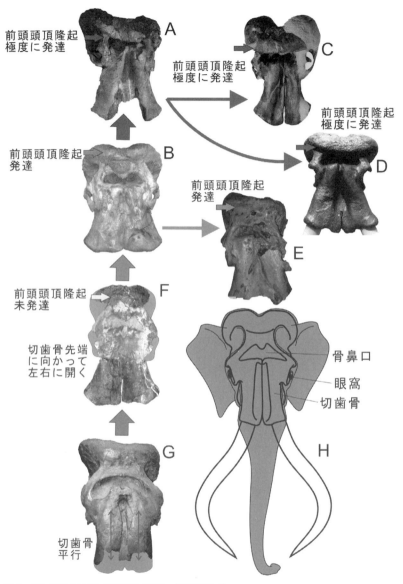

前頭頭頂隆起
極度に発達

A

前頭頭頂隆起
極度に発達

C

前頭頭頂隆起
極度に発達

D

前頭頭頂隆起
発達

B

前頭頭頂隆起
発達

E

前頭頭頂隆起
未発達

F

切歯骨先端
に向かって
左右に開く

骨鼻口

眼窩

切歯骨

H

G

切歯骨
平行

図1　パレオロクソドン属の頭骨の進化（引用文献4）

A イタリア、La Polledrara di Cecanibbio 産頭骨化石。B ドイツ、シュトゥットガルト近郊 Bad Cannstatt 産頭骨化石。C 中国、河北省泥河湾産頭骨化石。D インド、マハーラーシュトラ、ナーシク産ナルバダゾウの頭骨化石。E 千葉県成田市猿山産ナウマンゾウの頭骨化石。F エチオピア、ミドルアワッシュ、ブリ産レッキゾウの頭骨化石。G エチオピア、オモ産レッキゾウの頭骨化石。H ゾウの頭骨と軟体部の関係。C は引用文献3 の図版1、I、D は Kritzolina/CC BY-SA（https://creativecommons.org/licenses/by-sa/4.0）、H は Saegusa and Gilbert（2008）の図 9.8 をそれぞれ改変。

アで人類化石を研究している諏訪元 博士（元東京大学総合研究博物館館長）の紹介で、エチオピアのミドルアワッシュで人類化石を探している調査隊に参加しました。ミドルアワッシュからは580万年前から16万年前の様々な時代の人類化石が発見されていますが、私の目的はこれら人類化石と一緒に見つかるゾウの化石です。100万年前の人類化石が発見されたブリという村に行ったとき、調査隊のアメリカ側リーダーのホワイト博士がゾウの頭骨化石があるぞと教えてくれました。地層から半分露出しているその化石を見た瞬間、かつて受験勉強の邪魔をしてくれたナウマンゾウの祖先にピッタリのものが目の前にあることに気づきました。ブリのゾウ化石は東アフリカで人類化石と一緒に発見されることの多いレッキゾウ（*Palaeoloxodon recki*）です。レッキゾウはユーラシアのパレオロクソドンの祖先とされてきましたが、エチオピアやケニアから発見されている約200万年前のレッキゾウの切歯骨は、ユーラシアのパレオロクソドンのように先端に向かって左右に広がっていません（図1G）。ところが、ブリの100万年前のレッキゾウの切歯骨は先端に向って広がっており、ユーラシアのパレオロクソドンの特徴の一つが明瞭に現れていました（図1F）。ユーラシア最古のパレオロクソドンの化石は約80万年前のものなので、ブリの頭骨化石は、その祖先がアフリカからユーラシアに移住する出アフリカ直前の状態を示すものだったのです。

　私はこの頭骨化石を掘り出したいとホワイト博士に言いましたが、彼の最初の返答は写真だけ撮影して済ますというものでした。限られた経費と時間の中で

写真2　エチオピア、ミドルアワッシュ、ブリでの1個目のレッキゾウ頭骨の発掘。中央のギルバート博士の前に見えるのがレッキゾウの頭骨化石。

写真3　エチオピア、ミドルアワッシュ、ブリでの2個目のレッキゾウ頭骨の発掘。

成果を出さなければならない調査隊には、他の化石なら何十個も積める運搬車を一個で占めてしまう大きなゾウの頭骨化石を持ち帰るなど論外というわけです。しかし、ナウマンゾウの古い知己である私が引き下がるわけには行きません。この頭骨は出アフリカ直前の状態を示すアフリカ唯一の化石であることを力説したところ、ホワイト博士は掘っても良いと言ってくれました。当時院生であったギルバート博士と二人だけで、翌日の午前中に2時間以内で掘り出すという条件付でした。翌日、二人で奮闘して倍の4時間で掘り出しましたが、これはゾウの頭骨化石発掘にかかった時間の最短記録だと思います（写真2）。

　その3年後にブリの他の場所で、もっと巨大なレッキゾウの頭骨を10日間かけて掘り出しました（写真3）。ホワイト博士はブリの住民であるアファー族の若者3人を発掘補助につけてくれましたが、まずいことにラマダンの最中でした。アファー族は敬虔なイスラム教徒なので、水筒を持ってきていても、ラマダン期間の日中は口の周りを湿らすだけでどんなに暑くとも絶対に水を飲みません。酷暑の中で水も飲まずに労働するのは不可能なので、若者3人が働いてくれるのはせいぜい午前11時頃までです。それ以降は、岩陰で寝ている彼らを横目に夕方まで私一人で発掘するはめになりました。

■ ナウマンゾウの起源に関する新説

　2001年にイタリアのローマで開催されたゾウ化石に関するシンポジウムで、ナウマンゾウの起源に関する別の手がかりに遭遇しました。

ローマ近郊の遺跡 La Polledrara di Cecanibbio の見学会があり、そこでは旧石器と共に発掘され大部分が現地保存されたおびただしい数の獣骨化石の中に、保存の良いパレオロクソドンの頭骨化石が二つありました（図 1A）。ヨーロッパで発見されるパレオロクソドンはアンティクースゾウ（*Palaeoloxodon antiquus*）と呼ばれており、インドで発掘されたナルバダゾウとは別種とされています。しかし、目の前にある頭骨はインドのナルバダゾウや、中国産の頭骨に酷似していたのです。これには驚かされました。La Polledrara は海洋酸素同位体ステージの MIS9（約 30 ～ 34 万年前）に対比されます。ドイツ、シュトゥットガルト近郊 Bad Cannstatt の MIS11（約 37 ～ 42 万年前）に対比される地層から発掘されたパレオロクソドンの前頭頭頂隆起はそれほど強くなく、ナウマンゾウ程度です（図 1B）。Bad Cannstatt 産の頭骨の形をシュトゥットガルトタイプ、前頭頭頂隆起が極度に発達した La Polledrara、インドのナルバダゾウ、中国産の頭骨の形をナルバダタイプと呼ぶと、両タイプが種の違いである可能性と同一種内の年齢や性差である可能性の二通りが考えられます。しかし、ドイツとイタリアの両産地の頭骨はほぼ同じ大きさであることから、両タイプの違いは年齢や性差によるのではなく、種の違いではないかと考えました。さらにエチオピアのブリで発掘していたレッキゾウの頭骨の形態とナウマンゾウが日本に渡来したと推定される時期[5] を考え合わせて、以下の仮説をたてました[4,6]。

　アフリカ起源のパレオロクソドンは約 200 万年前までにこの属の特徴の一つである箱型の頭頂部を進化させ（図 1G）、約 100 万年前までに先端が左右に広がった切歯骨が進化します（図 1F）。100 万年前後にパレオロクソドンは出アフリカを果たし、レバントまで分布を広げます。この時期に、ユーラシアの中緯度地域には約 350 万年前に出アフリカを果たしていたマンモスの仲間が分布していました。その後、彼らはより高緯度の寒冷な気候帯に分布するようになり、置き換わるようにパレオロクソドンはユーラシアの中緯度地域へ分布を広げます。約

100万年前以降、氷期と間氷期の気候の差が強まり、氷期にはマンモスがスペインやイタリアまで南下し、間氷期にはパレオロクソドンがポーランドからロシア南部まで北上することが繰り返されるようになります。約80万年前からMIS11（約37〜42万年前）までの期間にシュトゥットガルトタイプの頭骨（図1B）を持つパレオロクソドンが進化し分布を広げた後、MIS9（約30〜40万年前）までにナルバダタイプのパレオロクソドンが進化し、シュトゥットガルトタイプと置き換わっていきます。イタリアのLa Polledrara（図1A）、インド（図1D）、中国（図1C）で見つかっているものは、こうしたナルバダタイプです。一方、東アジアまで分布を広げたシュトゥットガルトタイプの頭骨を持ったパレオロクソドンは、MIS12（約42〜48万年前）に対馬海峡が海面低下に伴い陸化した際に日本に渡来し、ナウマンゾウの祖先となります。その後は日本列島が大陸から孤立し続けてナルバダタイプが日本へ侵入できず、シュトゥットガルトタイプの頭骨という古い特徴がナウマンゾウに引き継がれました（図1E）。

　この仮説を2008年に論文として公表しましたが、2006年に兵庫県丹波市の篠山層群（約1億1千万年前）から恐竜の化石が見つかったため、ゾウの研究からはしばらく離れていました。2017年に台湾で開催された国際マンモス学会では、旧知の間柄のイタリア人研究者が、口頭発表で2008年の論文を絶賛してくれました。しかし、彼はその後スペイン、イタリア、英国の研究者と共同で再検討を進め、2020年に私の仮説を否定する論文[7]を公表しました。ナルバダタイプの頭骨形態は第三大臼歯が生える老齢個体の特徴であるのに対して、シュトゥットガルトタイプのそれはそれよりも若い個体の特徴であるというのです。ゾウは一生に計24個の歯が生え変わります。それは、すでに生えている歯がすり減り小さくなるのに伴い、次の歯が後ろから前の歯を押し出すように生えてきて、前に生えていた歯と置き換わるという独特のものです。第二大臼歯が完全にすり減り、第三大臼歯と置き換わるのは大体40歳くらいとなります。こうした年齢による頭骨のタイプの違いは

MIS11とMIS9で共通しているので、ヨーロッパのパレオロクソドンはすべて同種のアンティクースゾウであり、インドのナルバダゾウと中国のパレオロクソドンの頭骨と四肢骨にはそれぞれ別種と見られる特徴があるということでした。

　この新説でもナウマンゾウは古い形質を残した種で、その祖先種は第三臼歯が生えている老齢個体でも前頭頭頂隆起があまり強くないシュトゥットガルトタイプの頭骨を持つものだろうとしており、私の説と共通しています。しかし、第三大臼歯が生える年齢でナルバタタイプの頭骨を持つ種が進化した時期には言及していません。ナウマンゾウの祖先が大陸から分断された時期との兼ね合いから、少なくとも東アジアでは、その時期はMIS12よりも前になります。しかし、イタリアのMIS13（約48～53万年前）の地層から第三大臼歯が生えているナルバタタイプの頭骨の報告[8]があり、パレオロクソドンの頭骨の進化には地域差があった可能性があります。ただし、この頭骨は現地保存されており、地層中に埋まったままで、おでこの形を類推したにすぎません。

　現地保存されているため頭骨の形を正確に観察できていない例は、これだけではありません。私の仮説の着想のきっかけとなったLa Polledraraの頭骨も、現地保存されて臼歯は地層中に埋もれており、頭骨に何番目の臼歯が生えているか不明です。シュトゥットガルト近郊で産出したシュトゥットガルトタイプの頭骨には第二大臼歯が生えています。もしLa Polledraraの頭骨に第二大臼歯が生えていれば、ほぼ同年齢の頭骨にシュトゥットガルトタイプとナルバタタイプの両方が見られ、後者は年代が若いということになります。つまりLa Polledraraの頭骨が現地保存されている限り、私の説が復活する可能性は残されているのです。

■ ゾウ化石の適切な保管と研究

　このようにゾウの頭骨化石は、発見されたとしても、適切に地層中から取り出され、その特徴が十分に観察される状態まで処理されるとは限

りません。ブリと同年代のレッキゾウの頭骨化石はジブチとスーダンで発見されていますが、ジブチの化石は詳しく研究される前に劣悪な収蔵状態のために崩壊し、スーダンの化石は発掘されずに現地に放置されています。ブリの頭骨化石も、発掘の8年前に調査隊が発見しており、私がミドルアワッシュの調査に参加していなかったら今でも現地に残されたままで、ユーラシアのパレオロクソドンの進化も再検討されなかったかもしれません。頭骨の発掘が可能となったのは、浜町のナウマンゾウ化石の修復作業に熱中した私の経験と、先入観に囚われずに重要性を見抜くホワイト博士の判断力がそろった結果ではないかと思います。

　発見されたにもかかわらず十分な処置が行われていない頭骨化石は、世界各地にあります。ナウマンゾウの起源問題の解決には、中途半端に放置されている頭骨化石が適切に処置される必要があり、日本にもそういう残念な化石が一つあります。それは冒頭で話した浜町産ナウマンゾウの頭骨化石です。浜町産ナウマンゾウは、当時高尾にあった東京都高尾自然科学博物館に収蔵され、この博物館が2004年に閉鎖された後は八王子市に移管されました。しかし、この化石は廃校を利用した収蔵施設に保管されており、内情を知っているごく一部の人以外はアクセスできない状態になっています。

　ゾウの頭骨化石は世界的に見ても産出例は少なく、しかも浜町産ナウマンゾウ化石は骨組織の保存状態が抜群に良いため、DNAが抽出される可能性さえあります。DNAが抽出されたら、そのデータをもとにナウマンゾウの起源が解明されるかもしれません。国内外の研究者が収蔵標本にアクセスしやすい施設へ浜町産ナウマンゾウ化石が移管されることを、願わざるを得ません。

〈引用文献〉
1) 高橋啓一（2013）日本のゾウ化石，その起源と移り変わり．豊橋市自然史博物館研報，No. 23, 65-73.
2) 犬塚則久（1977）ナウマンゾウ（*Palaeoloxodon naumanni*）の起源について．地質学

雑誌，83：639-655

3) 衛奇（1976）在泥河湾層中発現納瑪象頭骨化石．古脊椎動物与古人類，14：53-58.

4) Saegusa, H. and Gilbert, W. H. (2008) Chapter 9 Elephantidae. In Henry, W., Gilbert and Asfaw, B. eds., *Homo erectus* in Africa, Pleistocene Evidence from the Middle Awash. University of California Press, Berkeley and Los Angeles, California, 193-226.

5) Kawamura, Y. (2007) Last Glacial and Holocene land mammals of the Japanese Islands: their fauna, extinction and immigration. The Quaternary Research, 46: 171-177.

6) 三枝春生（2005）日本産化石長鼻類の系統分類の現状と課題．化石研究会会誌，38：78-89.

7) Larramendi, A., Zhang, H.-W., Palombo, M.R., Marco P. Ferretti, M.P. (2020) The evolution of *Palaeoloxodon* skull structure: Disentangling phylogenetic, sexually dimorphic, ontogenetic, and allometric morphological signals. Quaternary Science Reviews 229：https//doi.org/10.1016/j.quascirev.2019. 106090.

8) Aureli D, Contardi A, Giaccio B, Jicha B, Lemorini C, Madonna S, et al. (2015) *Palaeoloxodon* and Human Interaction: Depositional Setting, Chronology and Archaeology at the Middle Pleistocene Ficoncella Site (Tarquinia, Italy). PLoS ONE 10 (4)：e0124498. doi: 10.1371/journal.pone.0124498.

エチオピアの大地に人類進化の謎を探る

加藤 茂弘

　アフリカ大陸は人類のゆりかごであると、しばしば言われます。これは、200万年前より古い人類化石がアフリカ大陸からしか発見されていないという事実に基づいています。アフリカ大陸からは、200～100万年前の地層からも圧倒的に多数の人類化石が発見されています。アフリカ大陸は、人類の誕生と進化の歴史を研究する上で最適な調査地なのです。

　しかし、広大なアフリカ大陸のどこでも人類化石が発見されるわけではありません。大多数の化石は、アフリカ大陸を2つに引き裂きつつある東アフリカ大地溝帯という帯状のくぼ地と、南アフリカの洞窟遺跡から産出しています。とりわけ、東アフリカ大地溝帯の北半を占めるケニア地溝帯、エチオピア地溝帯、そしてアファー地溝帯からは、約650万年前以降の人類化石が数多く報告されてきました（図1）。エチオピア地溝帯とアファー地溝帯が位置する国がエチオピアであり、私が1994年から25年以上にわたり人類化石の調査に訪れてきた第2の故郷ともいえる国です。

■ エチオピアという国

　エチオピア（エチオピア連邦民主共和国）は東アフリカ北東部に位置する面積約113万㎢、人口約1億1,787万人（2021年時）の国で、西アフリカのマリ共和国と並び、アフリカ大陸で最古の独立国の一つです。第二次世界大戦時に一部がイタリア占領下におかれましたが、終戦後に安定した帝政政治に戻りました。その後は社会主義国へ転換し、1991年の政変後に連邦民主共和国となり、1993年のエリトリアの分離・独立などを経て現在に至っています。

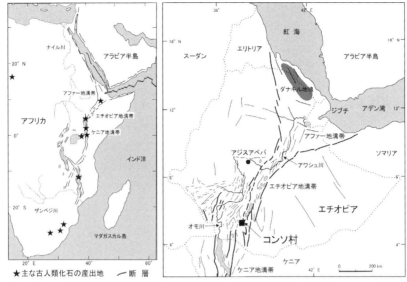

図1　東アフリカ大地溝帯と主な人類化石産地（左）およびエチオピア地溝帯とアファー地溝帯
　　　が位置するエチオピアの国土（右）
古人類化石とアシュール型石器の調査地であるコンソ村の位置を示した。

　エチオピアは、マラソンのアベベ選手やロバ選手などを代表に陸上の
長距離走が強い国として馴染《なじ》み深いでしょう。コーヒーの原産地であり、
エジプト文明を育んだナイル川の源流の１つ－青ナイルが位置する国
でもあります。アフリカ大陸では珍しく地下資源に恵まれず、私が初め
て訪れた 1994 年当時は、主な産業は牧畜・皮革産業、第１の輸出品
は皮革製品で、南アジアのバングラデシュと世界最貧国の座を争ってい
ました。

　21 世紀になって各種の産業が発展して経済は豊かになりましたが、
今でも日用品の物価は日本の 10 分の１くらいです。現代文明の恩恵に
溢れた首都のアジスアベバや地方の大都市を除くと、日本の弥生時代～
江戸時代かと思うような農村地域が広がっています。多くの人類化石は
このような農村地域で産出するため、私たちは近郊の小都市に滞在して
人類化石の調査を行ってきました。

■ ライフワークの始まり

　東京大学の大学院生であった 1992 年の夏、助手の池田安隆先生から、前年の夏に東京大学理学部生物学科に赴任された諏訪元 博士が、エチオピアの人類化石調査に参加できる若手の地質・地形研究者を探しているので参加してみないかというお話を頂きました。諏訪さんは、約440 万年前のラミダス猿人の化石の発見者として著名な研究者で、1988 ～ 1991 年に行われたエチオピア人類化石の探索調査に参加し、エチオピア地溝帯南部のコンソ村で直立原人の下顎化石と大量の旧石器を発見されていました。そして、エチオピア人研究者のブルハネ博士（古人類学）やヨナス博士（考古学）とともに、コンソ村での調査をさらに進めようとしていたのです [1]。

　東アフリカ大地溝帯の地形・地質に興味を持っていた私はすぐに参加をお願いし、年長の研究者として長岡信治博士を推薦しました。長岡さんとは 1994 ～ 1996 年にコンソ村での調査を共にし、地質・火山灰層序といった専門分野だけでなく、人間的にも多くのことを学ぶことができました（写真 1）。

　私は、大学院時代にはできの悪い院生の代表でした。運よく人と自然の博物館に就職できた時も、なぜあなたが就職できるの？と言われたほどです。それでも、諏訪さんやその先生のホワイト教授（カリフォルニア大学バークレー校、古人類学）、ブルハネ・ヨナスの両博士、長岡さんら、世界の第一線で活躍する研究者らと調査・研究を進める中で、学び、成長し、一人前の研究者として自立できるようになりました。研究者にとっては、研究テーマをしっかり設定し、尊敬できる研究者と、根気よく研究を続けていくことが大切だと思います。

写真 1　長岡信治博士（右）と筆者（左）
1995 年夏の終わり、コンソ村の古人類化石の調査地にて。

■ 共存した2種の古人類

　1994年に初めてコンソ村の古人類学調査に参加しました。1994〜1997年の4年間は、野外調査とアジスアベバのエチオピア国立博物館での調査準備や調査後の整理を含めて、各年約2ヵ月をエチオピアですごしました。調査地のコンソ村では、丘陵地に約200〜80万年前に堆積したコンソ層という地層が浸食されて露出しています（写真2）。浸食された地層からは、古人類を含む哺乳類の化石やワニ、カメの化石、古人類が製作した石器が取り残されて、地表の窪みに集積しています。それらの化石や石器を産出した地層を特定し、その地層と年代指標となる火山灰層との上下関係を明らかにしていくのが、私たち地質調査班の重要な役割でした。

写真2　直立原人とボイセイ猿人の化石が発見された
　　　　KGA10の地層

黒い粘土層の下の赤茶けた礫、砂、泥の互層から2種の古人類化石が発見された。互層の下位には再び、暗灰色の粘土層が堆積している。

　KGA10と名付けた調査区では、黒色や暗灰色の粘土層に挟まれた赤茶けた砂礫、砂、泥の互層から、直立原人（*Homo erectus*）だけでなく、ボイセイ猿人（*Australopithecus boisei*）に属する別種の古人類の化石が発見されました（写真3）。これらの古人類化石の産出層の直下にはピンク色の細粒火山灰（Lehayte火山灰）が挟まれ、上位には灰色の粗粒火山灰（Karat火山灰）が見

写真3　KGA10で発見されたボイセイ
　　　　猿人の上顎骨化石

つかりました。Lehayte 火山灰の直下には、灰色〜暗灰色の粗粒火山灰（Trail Bottom 火山灰）があることもわかりました。これらの火山灰のもっとも粗い部分を数 kg ほど採取し、キャンプに持ち帰ってふるい分けしてから、粒径 0.5mm 以上の砂粒を取り出します。日本の研究室でこの砂粒からカリウム（K）に富んだアルカリ長石という鉱物を選び出してアメリカのバークレー地質年代学センター（BGC）に送り、Ar-Ar 法を用いて 1 粒 1 粒の放射年代を測定しました。その結果、Karat 火山灰から 141 万年前、Trail Bottom 火山灰から 143 万年前の年代が得られ、2 つの火山灰に挟まれた地層から化石が産出した直立原人とボイセイ猿人は、約 142 万年前に共存していたことがわかりました[2]。

　古人類化石を産出した赤茶けた地層を周囲に追いかけると、扇状の分布を示すことや、次第に厚さが薄くなり、ついには黒い粘土層中に消えていくことがわかりました。この粘土層は、カバやワニの化石や、湖沼に生息する珪藻の化石を多く含むことから、湖底で堆積した地層だと考えられます。一方、赤茶けた地層は礫や砂が多く、河川が堆積した地層です。したがって、約 142 万年前には湖に流入する河川が造る扇状地状の平野が広がり、そこに直立原人とボイセイ猿人が暮らしていたと推定されます。ウマの化石が多く産出し、この平野には草原が広がっていたこともわかりました。

　コンソ村でボイセイ猿人が発見されたのは、KGA10 の調査区だけです。直立原人の化石は他の調査区でも発見されており、いずれの調査区も相対的に湿潤な環境を示していました。直立原人との生存競争の中で、ボイセイ猿人は、より乾燥して食物資源に乏しい KGA10 でしか生き延びられなかったのかもしれません。

■ 石器製作技術の進歩

　コンソ層からは 19 点の古人類化石しか発見されていません。一方、地表に散在する石器は数百点を超え、大半の調査区から採集されていま

す。古人類化石のように、石器を産出する地層と火山灰層との上下関係や火山灰層の放射年代を明らかにしていくことで、石器の製作技術の変遷を約100万年間にわたり追いかけることができました。これには、1998〜2000年、2002〜2003年、2010年の6度の野外調査を要しました。

　最終的にコンソ層中ではアシュール型石器という石材の両面に加工を施した大型の石器が、約175万年前、160〜150万年前、約140万年前、約125万年前、約90〜80万年前の5つの時代から産出することを明らかにできました[3]。これらの時代の石器を並べて比べてみると、石器の形状が時には緩やかに、時には著しく、変化していることがわかります（写真4）。約175万年前の石器は、アシュール型石器に分類される世界最古の例です。この時代には東アフリカ地域で初期のホモ属（*Homo ergaster*）が出現しており、アシュール型石器の発明と人類進化との関係性が示唆されます。約125万年前までは、石器に徐々に手のこんだ加工が施されるようになり、見た目も美しい形状をとるようになります。

　約90〜80万年前になると、石器の形状は一変します。とくにハンドアックス（手斧石器）は、左右に対称的な楕円形をなし、縦断面は見事な流線形を示しています。

石器の縁辺には細かな加工が施してあり、これが美しい楕円を造る要因の1つとなっています。50万年前までには、硬い石で大まかな加工を済ませた後に、骨や木などより柔らかい加工具を利用して周囲の形を整えるソフトハンマー技法が生まれたとされていまし

写真4　コンソ層から産出した約175〜85万年前の手斧石器（諏訪元博士提供）
右下から左上に、約175万年前、約160万年前、約125万年前、約85万年前の手斧石器を示す。スケール長は20cm。

た。コンソ層の石器もソフトハンマー技法で製作されたもので、これまで知られていたよりずっと古い時代に、この技法が用いられていたことが明らかになりました。約 90 ～ 80 万年前は、東アフリカ地域で脳がより大きく、現代人に近い特徴を持った直立原人が出現する時期にあたります。

■ エチオピアの野外調査

　エチオピアの野外調査は、命の危険と隣り合わせです。マラリアやチフスのような病気に加えて、体長 1.5m に達するコブラやガラガラヘビに注意を払わないといけません。1994 年の調査では、現地の井戸水が合わずに水あたりを起こし、ずっとお腹をこわしながら 1 月半の調査を耐えました。アジスアベバに戻ると、出発前に 62kg あった体重は 47kg に激減していました。1997 年の調査では、金泥棒と間違えられて長い槍を持った 5 ～ 6 名の現地人に囲まれ、知らないうちに命の危険にさらされていたこともありました。

　ふりかえると、コンソ村の調査は今ならとても耐えられない日々の連続でした。しかし、古人類の化石や奇跡ともいえるほど大量の石器を目にして、研究者の好奇心は強くかきたてられました。ここにしかない知的好奇心の満足があったからこそ、長期にわたる野外調査を完遂できたと思います。そして、この思いが、30 年以上にわたる調査・研究を支える礎になったと感謝しています。

〈引用文献〉
1) 加藤茂弘（2014）エチオピアのテフラ研究―コンソ遺跡におけるテフラ編年学的研究―. 月刊地球 36, 256-265.
2) Suwa, G., Berhane, A., Yonas, B. et al. (1997) The first skull of *Australopithecus boisei*. Nature 389, 489-492.
3) Yonas, B., Katoh, S., WoldeGabriel, G. et al. (2013) The characteristics and chronology of the earliest Acheulean at Konso, Ethiopia. PNAS 110, 1584-1591.

第3章

身近な動植物たちの
ふしぎ

ジャゴケを求めて西に東に

秋山 弘之

■ コケ植物とは

　大学院に進学して以来ですから、およそ40年近く私は苔（コケ）を材料として研究を続けてきました。研究を始めた頃と一番違うのは、昔は苔なんて研究して何の役に立つのかと、さんざんにけなされることが多かったのですが、最近はマスコミでも苔のことが好意的に話題として取り上げられる機会が多くなってきていることです。苔の研究をはじめる前に親や親戚を説得する必要はもうないのかもしれません。また、当時はいろいろと探してもなかなか見つけられなかった苔の入門書が、栽培関係のものも含めてたくさん出版されていて、今ではとても入手しやすくなっているのも以前と違うところです。ちょっとした苔ブームといってもいいかもしれません。ここでは、そんな苔を材料としてどのような研究をしてきたのか、標本との関わりに焦点をあてるため、特に分類学の面から紹介してみたいと思います。植物学では苔のことをコケ植物と呼ぶことが多いので、以下ではコケ植物という言葉をもちいることにします。

　中学校の理科で習うように、コケ植物には本当の根がなく、水や養分を通す維管束も発達していません。また受精して子孫をつくるのは造卵器でつくられる卵と造精器でつくられる精子です。花の咲く植物では精子ではなく花粉がその役割を担っています。精子は水の中を泳いで卵に到達して初めて受精が成立しますから、必然的に水から離れることができません。これが、コケ植物が花の咲く植物に較べて身体のサイズが小さいままであるもっとも大きな理由です。無事受精が終わると、その結果できるのは種子（タネ）ではなくて胞子です。胞子はとても小さいために容易に風で飛ばされて長時間大気中に漂うことが可能ですから、子

孫をより広く遠くに送り出すことができます。そのため、大きくて重い種子をつくる植物に較べると、コケ植物は遠く離れた、例えば北米や欧州と日本列島で、もっと近ければ中国大陸と日本列島の間で、同じ種の植物が分布するのだと長い間考えられてきました。しかし、ここに落とし穴があったのです。

■ 似ているが違う「隠蔽種」

　コケ植物はとても小さいですから、良く似た二つの個体を比較するとき、どうしても本当は存在する違いを見過ごしてしまいがちになります。違いを見逃すと、同じ種に扱われてしまいます。「種」は「しゅ」と読みます。専門用語で species の和訳です。昔は植物の種を見分ける手段は、形の違いに注目するしかありませんでしたから、それはしかたのなかったことなのです。しかしここ 20 年ほどで、細胞の中にある DNA の塩基配列を調べて、その違いから種の違いを判定する手法が急速に発達してきました。

　その手法が広く採用されるにしたがって続々と判明したのは、遠く離れた場所に生育するもの同士は、たとえ人間の目には同じに見えても、別の種として扱うべきほどに違いがあるのだということでした。似た形をしていて人間の目では見分けるのがとても難しいけれども、遺伝的には種のレベルで異なるほど分化している場合があるのです。そういった非常に似ているけれども遺伝的に違うもの同士のことを「隠蔽種」といいます。コケ植物は、とりわけ小さくて見分けるのが難しかったので、これまでは同じ種が広い分布域に拡がって生育していると考えられていたのですが、実は複数の隠蔽種がそれぞれの場所ごとに生きていることがわかってきたのです。

■ 研究材料にジャゴケを選ぶ

　私はここ 10 年ほど、この隠蔽種問題について取り組んできました。なぜなら、これまでの研究者がうっかり見逃してきたことを、新しい手

写真1　ジャゴケ（オオジャゴケ）の雌株
受精に成功すると、3月頃にもやしのように雌器托が伸びる。先端の傘の裏側に小さな胞子体がある。

写真2　ジャゴケ（オオジャゴケ）の雄株
表面の小さなたくさんの孔の下にそれぞれ一個の造精器が隠れている。

法を使って本当はこうなっているのだと解き明かしていくのって、なんだか自分が賢くなったような、ちょっとスマートな感じがするからです。研究材料に選んだのはジャゴケ（蛇苔）という苔類の仲間です。ジャゴケは教科書でおなじみのゼニゴケ（銭苔）と同じように、葉状の平べったい植物体をしています。コケ植物としてはとても大型で、野外でも見つけやすい仲間です。雄株と雌株がある雌雄異株の植物です。3月頃、受精に成功した雌株は、もやしのような柄をぐんぐん伸ばして（写真1）、その先端についている小さな胞子体（雌器托の頭の裏側にひっくり返って下向きについている）をつつむ表皮が破れて胞子を飛ばします。一方、雄株がつくる精子は、アイスホッケーのパックのような形をした雄器托というところでつくられるのですが（写真2）、十分に成熟すると霧状に噴出されるのがとてもユニークです。ネット上の動画でその様子が公開されているのでぜひ見てください。このジャゴケは、地球をぐるっと取り囲むように北半球の温帯地域に分布しています。日本でも北海道から琉球（沖縄本島北部）ま

で、低地から亜高山帯まで見られます。水の流れがあってやや被陰されたような場所が好きですが、道路沿いの明るい場所にも見かけることがあります。

■ 世界に 6 種

　1980 年代までは、このジャゴケは世界に一種だけがあって、それが広く分布していると考えられてきました。しかしながら、解析の方法が進歩するに従って DNA に刻み込まれた歴史を解読することができるようになり、その違いに注目すると、実は世界に 6 種があることが判明しました。北半球に広域に分布するタカオジャゴケの他に、欧州だけに分布するオウシュウジャゴケ、北米にホクベイジャゴケ、そして東アジアに分布するオオジャゴケとウラベニジャゴケ、そしてマツタケジャゴケです。

　ジャゴケはもともと *Conocephalum conicum* という学名で知られていました。ところが、この学名のもとになった植物は、欧州だけに分布するオウシュウジャゴケであることが判明しましたので、他の 5 種についてはこの学名を使うことができません。タカオジャゴケには *C. salebrosum* という新しい学名が与えられましたが、その他はまだ記載の準備が整っていません[注1]。

■ 日本列島での分布と分化

　まず日本列島のどこにどの種があるのかを調べる必要があります。問題は、東アジアに分布するジャゴケ 4 種は、乾燥した標本では識別が非常に難しい事です。葉状体表面の光沢や植物体の香りの違いといったような、生きているときにだけわかる性質が、4 種を見分ける上で大切な特徴だからです。たとえばオオジャゴケは、葉状体の表面がつややかで、折ると森の中にいるときに感じるのと似た香りがします。マツタケジャゴケは、ツンと鼻につく強いマツタケ臭がします。タカオジャゴケとウラベニジャゴケは、葉状体の表面が艶消しになっていて、ほとんど

香りがしません。これらの特徴はみな死ぬと失われてしまいますから、正確な4種の分布を調べるには、博物館や研究所に保管されている乾燥標本に頼ることができません。

■ ジャゴケ探検隊の活躍

写真3　ジャゴケ探検隊の皆さん（2018年3月 三重県赤目渓谷）

そこで、全国の苔好きの人々に呼びかけて、住んでいる場所の近くで、あるいは採集で遠くにでかけた際に、ジャゴケをとってもらい、生きた状態で送ってもらう計画「ジャゴケ探検隊」を立てました（写真3）。前述のようにジャゴケはとてもめだつコケですから、コケ植物の勉強を始めた初心者でもまちがえることがほとんどないという利点があります。（もっとも、ゼニゴケとの区別はちょっと慣れないとまちがえやすいですが）。全国から送られてきたジャゴケは、一部は形や香りを調べ、一部は乾燥標本あるいはアルコールの中で保存する液浸標本として保管します。一部はDNAの配列を調べるために実験室ですりつぶして分析します。

　ジャゴケ探検隊は、これまでに登録してくださった方が北は北海道斜里町から南は鹿児島屋久島まで50人を超え、送られてきたサンプルは300点を超えています。この貴重なサンプルにもとづいて日本産ジャゴケ4種の分布図が作成されつつあります（図1）。また4種それぞれが固有の分布域をもっていることも、徐々に明らかになりつつあります。

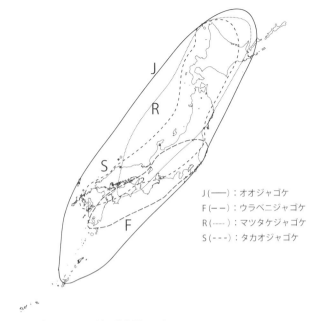

J (――) : オオジャゴケ
F (― ―) : ウラベニジャゴケ
R (……) : マツタケジャゴケ
S (---) : タカオジャゴケ

図1　日本産ジャゴケ4種の分布図のパターン

■ これから

　陸上植物には、コケ植物、シダ植物、裸子植物、そして被子植物があり、それぞれが特有の生活の仕方をもって地上に生育しています。日本列島の植物相がどのように生まれ維持されてきたのかを歴史的観点から考察する上で、たとえ身体は小さくともコケ植物が果たす役割は大きいのです。ジャゴケの分布と分化を明らかにすることで、日本列島と中国大陸との関係を植物の歴史から見直し、そのことを通じて、日本列島の植物相の成り立ちを考えていきたいです。

（注1：2022年1月、ひとはく研究紀要において新種として記載・発表されました。）

ツユクサ科の分類の再検討に向けて

李　忠建

■ ツユクサ科ってどんな草？

　「ツユクサのなかまの研究をしています」というと、「あの青いきれいな…」とわかってくださる方が一定数いらっしゃいます。電車や車で通勤していると見過ごしがちですが、落ち着いて歩いたり、気持ちよく自転車で走ったりすると、わざわざ山や谷へ出かけずとも、日常の中でよく出会う花です。

　ツユクサ科は花の形態がとても多様なグループの1つです。「ツユクサ」と「ムラサキツユクサ」を例に挙げて見てみましょう（写真1）。

　ツユクサ（ツユクサ科ツユクサ属）とムラサキツユクサ（ツユクサ科ムラサキツユクサ属）は、同じツユクサ科ですが、花だけを見てもいろいろな違いがあります。①ツユクサの花はスミレと同様、対称軸がひとつしかない左右相称花ですが、ムラサキツユクサの花はサクラやチューリップと同様、対称軸が複数ある放射相称花です。②ツユクサをよく見ると、雄しべの形が3種類あります。中でも、奇妙な形をしている黄色い雄しべは、あまり花粉を作っていないようです。逆に、ムラサキツユクサは、どの雄しべも同じ形をしています。「同じツユクサ科なのに、

写真1　ツユクサ（左）とムラサキツユクサ（右）

属が違うだけでこれだけ姿が違うのか」という気持ちになってきます。大学院時代にお世話になった先生も、「ツユクサ科にそんな花もあるんだ！」と、年に1回は驚いていました。

　そのようなツユクサ科は、日本に5属13種、世界には41属650種もあります（写真2）。1つの科が、どうやってこれだけ多様なグループに進化したのでしょうか？

　進化を知るには、今ある花たちが、その祖先からどのように枝分かれしてきたのか、つまり系統を調べなくてはなりません。生物学の研究である以上、分類がしっかりしている必要もあります。もっといえば、私たちが「種」を適切に認識している必要もあります。

　私が研究を始めた頃には、すでにDNAを使った系統解析が広く行われていました。しかし、ツユクサ科の系統を調べた研究は片手で数えるほどしかありませんでした。その系統研究も、北米大陸における研究が多く、アジア地域における研究はほとんどありませんでした。

　ツユクサ科は、調査の進みにくい熱帯に多く分布し、花が標本として残りにくく、開花時間が短い、という研究テーマとして敬遠されやすい

写真2　ツユクサ科の多様性

要素が揃っています。結果、ツユクサ科の進化については、まだわからないことがたくさんあるのです。

■ 属の関係をなんとかしたい

1980 年代以降、ツユクサ科の研究にもっとも貢献した学者として、アメリカの Robert B. Faden が挙げられます。彼は数ある研究成果の1つとして、ツユクサ科の分類体系をまとめ上げ、その中でどの属とどの属が近い関係にあるのかを、階層的に整理しました[1]。

ちょうどこの頃から、植物の DNA を使った系統解析が盛んになり始めました。Faden らによる分類体系も、DNA の観点から支持されるかどうか、技術的に確かめられるようになってきたのです。実際にそのような研究が 2003 年に発表され、正しそうな部分が多く見つかったという結果になりましたが、まだまだ課題も多く残っていました[2]。しかし、それ以降の研究は、「ムラサキツユクサ連」など特定のグループに的を絞っていたので[3, 4]、ツユクサ科全体の見直しは 10 年以上も止まっていました。

そうした背景のもと、私は共同研究者たちとともに、解析に使うDNA 領域や植物の種類を増やして、ツユクサ科の全体的な系統関係を調べました[5]。細かい成果がいくつかあったのですが、次のようにまとめてみました。

1つ目の成果は、属間関係の解明です。これまでは、進化的に重要な属でさえ系統的な位置があまりわからなかったのですが、この研究で状況がかなり改善されました。特にイボクサ属については、現在進行中の研究につながる重要な発見がありました。

2つ目の成果は、属の単系統性の検証です。分類学で扱う「グループ」は、近縁なもの同士をまとめるのが理想です。つまり、ある祖先から派生した子孫をすべて含み、仲間外れがない状態、言い換えると「単系統性」が重要です。この研究では、グループから変わり者を仲間外れにしてしまった例（側系統）、近縁でないのに同じグループに混ぜてし

まった例（多系統）をいくつか見つけました。

　最後に、植物の形態と新たにわかった系統関係を踏まえて、分類体系の修正を行いました。この分類体系では2亜科6連7亜連に37属が認められています。

■ 属の中まで調べていくと

　こうした研究と並行して、日本やタイで実際に野外のツユクサ科を調べていると、1つ1つの「種」と向き合う時間がおのずと増えてきました。多くの場合、同じ属でも種ごとに形態が多様なので、その多様性がどのように生じたのかが、気になってきます。

　ツユクサ属の花の近くには、総苞という特殊化した葉があります。他のツユクサ科の総苞は、普通はあまり存在感がありませんが、ツユクサ属では違います。ハートをひっくり返して谷折りにしたような形で、花のつく部分（花序）を下と左右から覆っているのです。しかも、マルバツユクサやホウライツユクサの場合は、谷折りになった状態で後ろ側が合着していて、ここを破らないと折り目を広げられないようになっています（写真3）。

　きっと、ツユクサのようなシンプルな谷折りの総苞から、ホウライツユクサのような合着した総苞が進化したのだろう。アメリカのBurnsたちは、DNA解析の結果に基づいて、このように考

写真3　ツユクサ属の総苞
上と左下は合着していないが、右下のナンバンツユクサは漏斗状に合着している。

えました[6]。確かに、植物の合着の進化を考える時は、花弁でも子房でも「非合着から合着へ」の流れが基本です。しかし、この研究の解析結果をみると、この仮説に関わる部分は統計的にあまり支持されていませんでした。もしかすると、解析に含まれていないアジア産の種を解析すれば、違う結果が得られるかもしれません。

　そこで私たちは、さらに解析に適した遺伝子を使って、アジア産の種を中心に、ツユクサ属の系統を推定しました[7]。その結果、総苞が合着しているホウライツユクサやマルバツユクサは Burns たち[6] の「合着グループ」を再現しましたが、別の総苞が合着しているナンバンツユクサなどは、「非合着グループ」の基部に位置していることが明らかとなりました。なんと、「合着グループ」は2つあったのです！

　もしかすると、合着した総苞から非合着の総苞が進化したのかもしれない。その可能性を示唆する証拠が、もう1つ見つかりました。「合着グループ」の中に、合着しない植物が1種だけ混ざっていたのです（図1）。ここまでくると、「そもそもツユクサ属では、総苞は共通祖先の時点で合着していたが、いくつかのグループでは合着しなくなった」と考える方が、現時点では素直です。もちろん、今後の研究でさらなる検証が必要ですが。

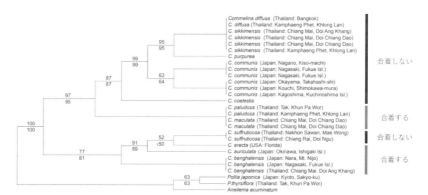

図1　葉緑体遺伝子を用いたツユクサ属の分子系統樹
最節約法で解析したが、最尤法（さいゆうほう）でも同様の樹形となる。引用文献7のFigure 2から、一部改変。

この研究を通してわかったことは他にもいろいろあるのですが、一方で、ツユクサはわからないことばかりだということを、再認識しました。この植物にとって、総苞の形が変わったことにどんな意味があったのだろうか？　どうして、ツユクサ属のいろいろな系統が、アジアに集まることができたのだろう？　今でもツユクサ属の研究を継続していますが、進展があるたびに疑問は増える一方です。

■ そもそも、種から調べ直しだ

　実は、もっと基本的なことでも頭を悩ませています。今の科学は、種を正しく認識できているのでしょうか？　ツユクサ属、イボクサ属、ヤブミョウガ属、ヤンバルミョウガ属など、日本で見られるグループの植物でも、東南アジアに行くと「同じ種にしていいのかな」と思う植物がいくつも見つかります。初めから新種に見えるものも見つかります。

　実は気になるのは東南アジアだけではありません。日本は海外と比べて、動植物の分類がかなり進んでいます。それでもツユクサ科については、ツユクサとケツユクサの関係をはじめ、まだまだ課題が残されています。

　人間の姿かたちというのは、一人一人に違いがあり、地域ごとで見ても違いがあります。植物でも同様で、「ちょっと形が違うから新種！」という訳には行きません。逆に、トラとヒョウのように、近縁で似ている種を混同しないように気を付ける必要もあります。「ここからここまでが同じ種だ」とか「それとこれとは別の種だ」という、いわば「種の範囲」は、こうして多くの先人が注意深く調べてくれたものです。しかし、当時使えなかった技術、当時できなかった調査によって、科学は進歩していくものです。「種の範囲」を再検討することは、私たち分類学者の宿題ともいえますし、実際にその中で多くの発見がなされ続けています。

　種の範囲を再検討するには、形態に加え、DNA も役に立ちます。本書「ハエトリグモ類の分類体系を整理する」（117 ページ）で山﨑研究

員が述べているように、「系統分類学においては、生物に対して形態と DNA の両方で攻めていくことが必要」です。

　タイや日本に産する分類の怪しいツユクサ科植物について DNA を調べてみると、予想通り別系統に分かれるものもあれば、予想に反してほとんど違いが見つからないものもありました。中には、予想と違う分かれ方をするものや、予想を超えて第 3 の種が間に入ってくるほど違いが大きかったというものもあります。

　あとは分子系統に従って整理するだけ、というように進められれば楽な仕事なのですが、まだまだ簡単にはいきません。形態に基づいて認識した種が分子系統と矛盾していれば、徹底的に観察のやり直しが必要です。採集できた花で違いがわからないようなら、今度は果実の時期に採集に行かなければなりません。これが日本ならともかく、海外ではそう簡単ではない場合もあります。標本庫の存在は大きな助けになりますが、それでも国内だけでは解決しないことも多いです。

　実は DNA 解析自体も万能ではなく、「1 つの種なのか 2 つの種なのか、どちらでもおかしくなさそう」という結果になる場合もあります。さらに、どの DNA 領域を使って解析するかによって、解析結果が大きく食い違う例もあります。性急に判断して拡大解釈にならないよう、慎重に検討することが重要です。この辺りについては、日本のツユクサ科植物についても面白いことがわかってきていますので、もう少しはっきりしたら、皆さんにもお伝えできると思います。

■ **今後の研究について**

　技術が年々進歩するおかげで、今まで費用の問題で縁のなかった解析手法にも手が届くようになってきました。DNA の抽出から解析まで、いろいろな場面で、時代に恵まれていることを実感します。

　しかし、逆説的ではありますが、地道な形態観察やフィールド調査の重要さは増しているように思います（写真 4）。たいていの場合、DNA から得られる結果にどういう意味があるのかは、こうした地道なステッ

プがあって初めてわかるものです。

　博物館はこれまで、実物の標本を一か所に集めてカビや害虫から守り、研究に取り組みやすい状態に整理してきました。さらに近年は、オンラインでデータベースを共有できるようになっただけでなく、標本の高解像度写真を公開・提供してくれるところも増えてきました。科学における博物館の役割は、そういった目立ちにくい部分でも、ますます重要になっていくように思います。

　最後に、私自身の研究について一言。これまでの研究でいろいろと面白いことがわかってきました

写真4　フィールド調査の様子
新種と思しきツユクサ属植物が一面に生えている中、筆者が花か果実が見つからないか探している。タイにて。伊藤厳氏撮影。

ので、この機会に書きたい気持ちもあったのですが、そういうトピックに限ってまだ書けない事情があるのが大変もどかしいです。地道に研究を進めて、いい結果をできるだけ早くご報告したいと思っています。

〈引用文献〉
1) Faden RB, Hunt DR. 1991. The classification of the Commelinaceae. Taxon 40: 19-31.
2) Evans TM, Sytsma KJ, Faden RB, Givnish TJ. 2003. Phylogenetic relationships in the Commelinaceae: II. A cladistic analysis of rbcL sequences and morphology. Systematic Botany 28 (2) : 270-292.
3) Wade DJ, Evans TM, Faden RB. 2006. Subtribal relationships in the tribe Tradescantieae (Commelinaceae) based on molecular and morphological data. Aliso: A Journal of Systematic and Evolutionary Botany 22 (1) : 520-526.
4) Hertweck KL, Pires JC. 2014. Systematics and evolution of inflorescence structure in the Tradescantia alliance (Commelinaceae). Systematic Botany 39 (1) : 105-

116.

5) Lee C-K, Fuse S, Poopath M, Pooma R, Tamura MN. 2021. Phylogenetics and infrafamilial classification of Commelinaceae (Commelinales). Botanical Journal of Linnean Society 198 (2) : 117-130 (printed in 2022).

6) Burns JH, Faden RB, Steppan SJ. 2011. Phylogenetic studies in the Commelinaceae subfamily Commelinoideae inferred from nuclear ribosomal and chloroplast DNA sequences. Systematic Botany 36: 268-276.

7) Lee C-K, Fuse S, Tamura MN. 2017. Biosystematic studies on Commelinaceae (Commelinales) I. Phylogenetic analysis of Commelina in eastern and southeastern Asia. Acta Phytotaxonomica Geobotanica 68 (3) : 193-198.

ハエトリグモ類の分類体系を整理する

山﨑 健史

■ ハエトリグモ

　皆さんは、ハエトリグモをご存知でしょうか。網を張って餌をとらえるクモとは違い、餌にジャンプして飛びかかる徘徊性のクモです。車のヘッドライトのような眼は動きを捉えることができ、キョロキョロとする仕草が可愛いと感じる人も多いようです（写真1）。実は、この可愛いハエトリグモたち、系統分類学的には、混沌とした、とても可愛くはない課題を抱えています。系統分類学とは、もっとも基本的な分類学上の単位である種（species）を記載、整理し、さらに近縁の種どうしを高次の分類カテゴリー（属や科）に位置付け、入れ子状に整理していく学問です。具体的な取り組みとしては、未記載種に学名をつける新種記載や、同種に複数の別名がつけられていたりするケースの整理から、遺伝情報を用いた系統関係の推定などの進化的な研究も行います。では、ハエトリグモの何が混沌としているのでしょうか？

■ ハエトリグモ科の多様性

　クモ類は、全世界からこれまで約50,000種が記載されてきました。クモの全131科のなかで、ハエトリグモ科はもっとも種数の多い科で、これまでに約6,400種が記載されています。日本では約100種が記録されていますが、多様

写真1　ハエトリグモの1種
車のヘッドライトのような眼が特徴的です。

写真2　多様なハエトリグモ類

性の中心は世界の熱帯地域です。私は大学院時代から、ハエトリグモ科
の研究のために東南アジアの熱帯地域に通っています。熱帯で採集調査
を始めて、まず驚いたのがその種の多様性です（写真2）。場所を変え
れば、どんどん違う種が採れます。しかも、それぞれ形態的な違いが大
きく、日本で鍛えた"ハエトリグモ勘"というか、この種はこのグルー
プだろうという感覚がほとんど役に立ちませんでした。日本は生物の図
鑑が充実しています。ハエトリグモについても、国内で様々な図鑑が利
用可能なので、絵合わせで種類を特定することができます。それは、言
い換えれば、日本は身近な自然について、研究が良くなされているとい
うことに他なりません。しかし、東南アジアでは、自国の自然について
の図鑑というものが非常に少なく、身近な生物を調べる場合、いきなり
デッドエンドとなる場合も少なくありません。東南アジアのハエトリグ
モについていえば、多様だということはわかっているが、それを調べる
手がかりが、極端に少ないのが現状です。

■ 研究の方法

　系統分類学的な研究を行う際に、種を同定する（種名を決定する）こ
とは、もっとも基本的な行為です。では、何をもとに同定を行うので
しょうか。例えば、家の近所で、見慣れないチョウを見つけた場合、同
定には市販の図鑑を用いるかと思います。しかし、系統分類学という学
問においては、その種が初めて記載されたときの原記載論文というもの
を参照するのが原則です。原記載論文には、その種のラテン語の学名、
同定する際に必要な形態的な特徴が書かれています。そして、原記載論
文を書く際に使われた標本は、タイプ標本として、学名を担う標本にな
ります。タイプ標本は、研究者が必ず参照できるように、半永久的に保
管されることが強く推奨されています。

　東南アジアのクモ類は、19世紀後半に、欧米の研究者らによって数
多く記載されました。もちろん、それらの原記載論文を参照することで
同定が可能になります。しかし、19世紀に書かれた原記載論文の多くは、
現在、クモ類の同定に重要とされている部位の記載がなく、またもっと
も同定の頼りになる形態のスケッチなどがなく、文章を読んでも同定が
できない場合が多いです。その場合、タイプ標本を確かめることがもっ
とも手っ取り早い方法です。19世紀の欧米の研究者たちは、たくさん
の生物種を記載しましたが、それだけでなく、それから100年後の私
たちが参照可能な形で、標本を残してくれています。そして何より、欧
米では標本の価値を正しく理解している博物館が多く、その永続的な保
存に貢献しています。

■ タイプ標本に原点回帰

　生物種の学名を担うタイプ標本を参照することで、原記載論文には書
かれていない多くの情報を得ることができます。東南アジアから記載さ
れたハエトリグモ類のタイプ標本は、欧米の様々な博物館に保管されて
います。東南アジアで集めたハエトリグモ類を正確に同定するため、私
は、東南アジアの野外調査以外にも、欧米の博物館で標本調査も進めて

写真3　比較動物学博物館に所蔵されている *Myr-marachne shelfordii* のタイプ標本
100年以上前の標本がきちんと保管されています。

います。

　博物館ごとにコレクションには特徴があります。フランスの国立自然史博物館には、クモ学の父ともいわれる E. Simon の膨大なクモコレクションがあり、イタリアのジェノバ自然史博物館には、ミャンマーのクモコレクションが充実しています。アメリカのハーバード大学内にある比較動物学博物館には、ボルネオ島から新種記載されたハエトリグモ類のタイプ標本がまとまって保管されています。私が初めて観察したタイプ標本は比較動物学博物館のもので、アリ擬態ハエトリグモであるアリグモ属の標本を借りました（写真3）。このときは、原記載以降、100年以上正体不明のままだった *Myrmarachne borneensis* と *M. shelfordii* という2種について、タイプ標本をもとに、新たにスケッチを加えた再記載論文を出版しました[1]。ボルネオ島からアリグモ属は、この時点で、2種しか知られていませんでしたが、野外調査とタイプ標本との照らし合わせによって、最終的に約30種のアリグモ属を記録できました[2,3]。

■ ハエトリグモ科の性的二型

　オスとメスのある生物は、たとえば、カブトムシのように、オスとメスの見た目が異なる場合が多いです。ハエトリグモ科は特にその性的な差異が際立っています。そのため、オスとメスの見た目の違いから、それぞれ別の種として記載されていた例がとても多いです。このように同じ種に、2つ以上の学名がついてしまうと、生物の多様性がダブルカウントされてしまいます。そのため、系統分類学では、同じ生物種に付けられた2つ以上の学名を、1つに整理していくという作業もあります。

多様性は重要ですが、無駄な多様性を削っていく作業も系統分類学の重要な仕事の一つです。

　では、見た目が異なるハエトリグモのオスとメスをどのように、同種として判断していけばいいのでしょうか。ひとつめの方法は、交配行動中のオスとメスをペアで採集することです。ハエトリグモ類は通常、成体になったオスは、亜成体のメスの住居のそばで、交配のチャンスを

Phintella aequipeiformis, オス　　　　　　*Phintella lucai*, メス

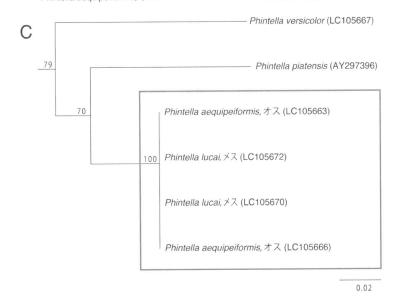

図 1　DNA バーコーディングによるオス・メスのマッチング

A) *Phintella aequipeiformis* のオス。B) *P. lucai* のメス。C) ミトコンドリア DNA の CO1 領域をもとにした系統樹。枠内に、*Phintella aequipeiformis* のオスと *P. lucai* のメスが位置づけられ、両者が同種ということが強く支持されています。

伺っています。その状態のオスとメスを採集します。亜成体のメスは、しばらく飼育すると1週間ほどで成体へ成長します。これで、同種のオスとメスを揃えることができます。しかし、野外で、交配行動中のハエトリグモ類に出会うことは、それほど多くありません。そこで、近年使われている手法が、DNAバーコーディングです。同じ種に属するオスとメスは、DNAの配列も類似していることを利用して、オスとメスのマッチングを行います。図1に示したのは、*Phintella aequipeiformis* のオス成体と *P. lucai* のメス成体です。それぞれ、別種として記載されていましたが、ミトコンドリアDNAのCO1領域を比較したところ、同種ということがわかりました[4]。ハエトリグモの分類体系には、このような性的な二形による混乱も多く含まれています。

■ 高次分類群を整理する

　ここまで、種（species）を単位として、話を進めてきました。系統分類学では、共通祖先をもつ種の集まりを、さらに高次の分類群としてまとめ、整理していきます。種の上のカテゴリーは属（genus）ですが、ハエトリグモ科では、とくにこの属の分類体系が泥沼に陥っています。ハエトリグモ科には形態的に独特な種が多いため、近縁な種を判別することが難しいことが多く、あるユニークな1種のために、1属が新設されたりすることもあります。また、逆に、よくわからない種が、1属にとりあえず所属させられるケースもあります。例えば、ハエトリグモ科アリグモ属には、アリに似たハエトリグモ類が、系統関係を考慮されずにどんどん入れられてきました。その結果、アリグモ属には、約200種が含まれることになりました。アリグモ属は、近年、形態学的に再検討され、Prószyński によって13属に細分化されました[5]。しかし、それは系統を反映させた分類とはいえず、さらに混乱が増している状況です。

　そこで、私は、DNAの塩基配列をもとに、細分化された"アリグモ属"の系統関係を調べました。推定された系統樹が示唆しているのは、

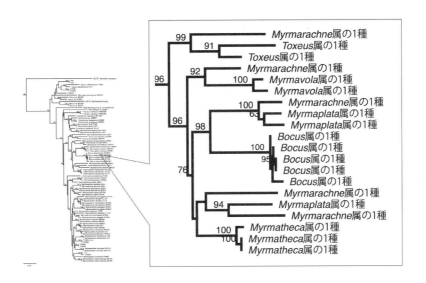

図2　ミトコンドリアDNAの2領域、核DNAの1領域をもとに推定したハエトリグモ科アリ
　　グモ属 (*Myrmarachne*) や近縁属の系統樹

拡大した単系統群には、複数の属が含まれていることがわかります。これは、既存の分類体系におい
て、各属が共通祖先を含む系統関係を考慮されずに設立されたものであるということを意味しています。
Yamasaki et al.（未発表）。

これまでの約 200 種が含まれていたアリグモ属を細分化すること自体
は妥当であること、そして、現在の細分化は系統関係を全く反映してい
ないため適切ではないということでした（図 2）。今後は、推定された
系統樹をもとに、形態的にグルーピングできるまとまりを検討していく
必要があります。系統分類学においては、生物に対して形態と DNA の
両方で攻めていくことが必要です。

■ 今後の展望

　このように、ハエトリグモ科では、様々な研究上の課題があり、すっ
きりした分類体系が構築されたとは言い難い状況です。多様なハエトリ
グモ科には新種がたくさん含まれているとハエトリグモ研究者は誰もが
感じていますが、新種を発表するにも、これまで記載されてきた種を網

羅的に調べる必要があります。また、その種がどの属に所属するのか、系統関係をしっかり踏まえて検討する必要があります。

　見た目や動きが可愛いハエトリグモは、SNS 上では頻繁に取り上げられることも多く、一般的には「気持ち悪い」の代名詞であるクモ類において、一定の人気を確立したといえるでしょう。しかし、学問的にはまだまだ課題も多く、興味の尽きない生物です。ハエトリグモ科の分類体系が、すっきりしたものになるまで、地道ではありますが、研究を続けていきたいと考えています。

〈引用文献〉
1) Yamasaki, T. 2010. Redescriptions of two Bornean species of the genus *Myrmarachne* (Araneae: Salticidae). Acta Arachnologica, 59: 63-66.
2) Yamasaki, T. & Ahmad, A. H. 2013. Taxonomic study of the genus *Myrmarachne* of Borneo (Araneae: Salticidae). Zootaxa, 3710: 501-556.
3) Yamasaki, T., Hashimoto, Y., Endo, T., Hyodo, F., Itioka T. & Meleng, P. 2018. New species of the ant-mimicking jumping spiders, the genus *Myrmarachne* MacLeay, 1839 (Araneae: Salticidae) from Sarawak, Borneo. Zootaxa 4521: 335-356.
4) Phung, T.H.L., Yamasaki, T. & Eguchi, K. 2016. Conspecificity of *Phintella aequipeiformis* Zabka 1985 and *P. lucai* Zabka 1985 (Araneae: Salticidae), confirmed by DNA barcoding. Revue suisse de Zoologie, 123: 283-290.
5) Prószyński, J. 2016. Delimitation and description of 19 new genera, a subgenus and a species of Salticidae (Araneae) of the world. Ecologica Montenegrina, 7: 4-32.

琉球・台湾にいるキノボリトカゲの仲間たち

太田 英利

■ キノボリトカゲのユニークな特徴

　私は学生の頃より、キノボリトカゲというトカゲの仲間に漠然とした興味を持ちました。キノボリトカゲ属は、かつてテレビで人気の出たエリマキトカゲなどと同じアガマ科に属します。アガマ科は、森林棲や海岸棲の大型種を含むイグアナの仲間（イグアナ科）や、体の色を顕著に変化させることで有名なカメレオンの仲間（カメレオン科）と近縁で、これらとともにイグアナ下目というグループを構成しています。イグアナ下目のトカゲ類はみな、（1）昼行性で視覚が発達し環境を立体的に認識する、（2）対照的に嗅覚はほとんど機能せず匂いがわからない、（3）雄が縄張りをつくり、その中から威嚇や闘争によって他の雄を排除する、といった特徴を示します。日本や台湾などの東アジア島嶼域に生息しているイグアナ下目は、キノボリトカゲ属だけであり、この地域のトカゲ類の中では異彩を放つ存在となっています。

■ 与那国島での遭遇、高校時代の疑問への 30 年越しの答え

　このようなキノボリトカゲ属の生物学的特性に興味をそそられた私は、分布域である琉球列島や台湾の各地に通い、生息状況や生態を観察するとともに標本を採集し、その形態や核型（染色体の数や形などにおける特徴）、さらに酵素支配遺伝子の組成やミトコンドリア DNA の配列変異について、詳細に比較検討を進めてきています。東アジアの島々に、いったいどれだけの種や亜種が生息しているのかを明らかにすることが、研究の目的です。

　研究を開始した時点では、琉球列島にはキノボリトカゲ一種の二亜種（オキナワキノボリトカゲとサキシマキノボリトカゲ）が、台湾にはス

写真1 琉球列島の最西端に位置する与那国島のヨナグニキノボリトカゲ

この30km²弱の小島にしかおらず、生息密度も決して高くないため、環境省のレッドリストに絶滅危惧種Ⅱ類（VU）として掲載されています。

ウィンホーキノボリトカゲ一種の三亜種（スウィンホーキノボリトカゲ［基亜種］、タイワンキノボリトカゲ、ミツクリキノボリトカゲ）が分布するとされていました。

ところが実際に詳しく調べてみると、琉球列島ではさらに、その最西端の与那国島だけに生息するキノボリトカゲの亜種を発見でき、新亜種ヨナグニキノボリトカゲとして記載しました（写真1）。

実は高校2年の時に一度、沖縄旅行に行って与那国島を訪れ、その際に観察したキノボリトカゲの一種が少なくとも外見上、同じ八重山諸島の石垣島や西表島の既知亜種であるサキシマキノボリトカゲとは明確に異なっていたのが強烈に印象に残っていました。それが30年後に改めて明らかとなったわけです。さらにDNAを指標とした解析からはこの亜種が、祖先集団の与那国島における長期間の隔離を経て生じたものであることも強く示唆されました。

■ 次々に明らかとなった未記載種・隠蔽種の存在

台湾での調査からは、まず、低地の全域や離島にも広く見られる既知種スウィンホーキノボリトカゲが実際には亜種に分かれず、地理的に連続的に変異することがわかりました。いっぽう台湾北部の低地では、それまで琉球列島の固有種と考えられていたキノボリトカゲの別亜種（キグチキノボリトカゲ）を新たに見つけ、記載しました。それまでこの地

域にはスウィンホーキノボリトカゲしかいないと考えられていたのですが、野外調査で体の大きさや胴と脚の長さの比率、体色などが明確に異なる二つのタイプのキノボリトカゲ類が同じ場所にいるのに気づきました。野外での直接観察が、キグチキノボリトカゲ発見のきっかけとなったわけです。

　台湾中部や南部の山地では、三つの独立種（タンソクキノボリトカゲ、マキキノボリトカゲ、タイヘイキノボリトカゲ）を新たに発見ないし再発見しました。このうちで"再"発見と記したタンソクキノボリトカゲは、戦前に一度独立種として記載されたことがあるものの、その後の不適切な検討を経て、スウィンホーキノボリトカゲの同物異名と結論づけられてしまっていたからです。実際に台湾中部の山地で生きた個体を採集して調べてみると、体色も行動もスウィンホーキノボリトカゲとは全く異なっており、そのため再度、これを独立種タンソクキノボリトカゲとして再記載したわけです。

　台湾の山地に、平地のものとは異なる鮮やかな緑色のキノボリトカゲがいるという記述は、実は戦前に、台湾の博物学に取り組んだ何名かの日本人研究者が記していました。しかしそれ以降、この問題を掘り下げる研究者はいませんでした。ちなみにスウィンホーキノボリトカゲとキグチキノボリトカゲの体色は全体的に褐色で、緑味はほとんどありません。タンソクキノボリトカゲは、確かに部分的に緑色をしていますが、"鮮やかな"というほどではありません。

　このような"謎"が残る中、私はたまたま調べさせていただいた大阪市立自然史博物館の動物液浸標本庫の中で、「1923年に台湾南部の山地で牧茂市郎氏によって採集された」と記されたラベルの付いた奇妙なキノボリトカゲ属の標本を見つけました。長く液浸状態であったためかなり色が抜け落ちていたものの、全体的に青みの勝った現在の色から、生時には鮮やかな緑色であったことは明らかでした。標本ラベルにあった産地情報をもとに訪れた台湾南部の山地で、幸運にも明らかに同種と思われる生体を発見して採集することができました。詳しく調べてみる

と、予想した通り、その時点での既知種のどれとも形態や核型が異なり明らかに未記載であるとわかったため、採集者に献名してマキキノボリトカゲ（学名の種小名 *makii*）と命名しました。

　牧氏は、大阪市立自然史博物館の収蔵標本の採集から10年後となる1933年に、台湾を含む当時の日本領全域のヘビ類を扱った分類のモノグラフを著したことで著名な人物ですが、幅広い見識と几帳面さを兼ね備えられていたのでしょう。必ずしもご自身の専門の中心ではないトカゲであっても（おそらく何かおかしいと感じて）採集し、きちんとした採集情報とともに標本として残されていたことが、半世紀あまりの時を経て、今回の発見につながったわけです。

　タイヘイキノボリトカゲの発見は唐突でした。調査の途中でたまたま訪れた国立台湾師範大学で動物の生態や保全を研究している大学院生らと話している際、その中の二名から、「それまで知られていたどの種とも明らかに異なるキノボリトカゲの仲間がいる場所がある」との情報提供を受けたのです。正直半信半疑だったのですが、院生らが案内してくれた台湾東北部の山、太平山で見つけたのは、確かにそれまでに発見・記載されたどの種とも異なるたいへん美しいトカゲで（写真2）、紛れもない未記載種でした。

　タイヘイキノボリトカゲの生息地は太平山周辺に極限されており、その院生たちの情報提供

写真2　非常に美しいタイヘイキノボリトカゲ
台湾北東部の太平山とその周辺の限られた範囲でしか見られず、確認個体数も少ないため、新種として記載されてからほどなく、台湾政府によって保護種に指定されました。

がなかったら、決して発見されなかったでしょう。このため、彼らにも記載内容に踏み込んだ議論に参加してもらい、論文は連名で発表しました。種小名は"*luei*"としたのですが、これは両院生の所属する研究室の主任教授である呂光洋博士（Dr. Kuang-Yang Lue）に献名したものです。

■ 今後の学術上の課題と保全上の責任

　これら台湾の山地の三種、そしてキグチキノボリトカゲは、相互に染色体の数や形が異なっており、おそらく染色体の変異が契機となって別種へと分かれていったと考えられています（図1）。染色体の変異は往々にして、異なる核型を持つ雌雄間の交雑個体における配偶子形成の阻害を引き起こすため、集団間の生殖隔離へとつながり易いからです。なお台湾には、未だに種の帰属が明らかでないキノボリトカゲ属が複数残されており、それらの分類学的な位置づけや、既知種との系統関係の解明も目指して、現在も調査・研究を進めています。

　上記のように新たに記

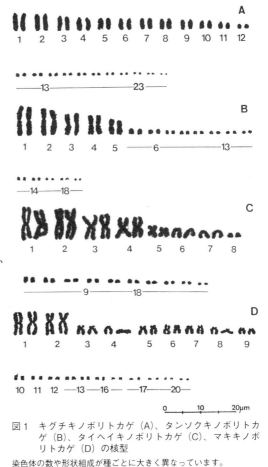

図1　キグチキノボリトカゲ（A）、タンソクキノボリトカ
　　　ゲ（B）、タイヘイキノボリトカゲ（C）、マキキノボ
　　　リトカゲ（D）の核型
染色体の数や形状組成が種ごとに大きく異なっています。

載された種や亜種のほとんどは、発見された時点ですでに存続の危ぶま
れる状況にありました。そのため今では、日本や台湾の政府によって絶
滅危惧種や保護種に指定され、その保存がはかられています。このこと
は、行政や自治体、NPOなどによる生物多様性保全の推進に当たり、
分類学的研究が極めて重要な役割を果たすことを示す、よい例ともいえ
るでしょう。

雪と森の国に生息するイヌワシの不思議な生態

布野 隆之

　冬には雪が降ります。そして、春になると、雪は解け、木々が芽吹き、夏にかけて緑に覆われた森へと移り変わります。私たちにとっては、美しい四季の移り変わりです。しかし、動物たちの視点に立つと、日本の四季は、彼らの生息地をダイナミックに変貌させるため、メリットとデメリットの両方があるようです。ここでは、森林生態系の頂点に位置するイヌワシが、日本の四季のメリットをどのように活かし、そして、デメリットをどう克服しているのかを紹介します。

■ イヌワシとは

　イヌワシは、環境省レッドリストにおいて絶滅危惧 IB 類に区分される大型の希少猛禽類です（写真 1）。全長は約 90cm、翼開長は約 200cm です。主な餌は、ノウサギ、ヤマドリ、およびヘビ類です。イヌワシの最大の特徴は、飛行機の一種であるグライダーのように風に乗り、滑空することです。滑空は、風の力を巧みに利用する飛翔法であり、労力がほとんどかかりません。イヌワシは、ノウサギなどの餌動物を探索する際に、滑空を多用します。従って、労力をほとんどかけずに、餌を

写真 1　大空を飛翔するイヌワシ
イヌワシは国の天然記念物に指定され、環境省レッドリストにおいて絶滅危惧 IB 類に区分される絶滅危惧種。推定生息数は、わずか 500 羽。

得ることができるのです。

■ イヌワシの生息地－世界と日本

イヌワシがもっとも多く生息する地域は、北アメリカです。約7万

写真2　イヌワシの生息地
左段の写真a)、b)、およびc) は、それぞれ北アメリカ、ヨーロッパ、およびモンゴルにおけるイヌワシ
の生息地を示す。また、右段の写真d)、e)、およびf) は、それぞれ東北地方、北陸地方、および近畿地方
におけるイヌワシの生息地を表す。

羽が生息します。次いで、ヨーロッパには少なくとも5千羽が定着しています。また、モンゴルにも、数千羽が生息すると推定されています。これらのイヌワシ生息地は、それぞれ、荒地（写真2a）、山岳地（写真2b）、および大平原（写真2c）です。全く異なる環境に見えますが、実は、地上付近に樹木などの遮蔽物がなく、上空からの見通しが良いため、イヌワシにとって餌を発見しやすいという点で共通しています。

　次に、日本における代表的なイヌワシ生息地を見てみましょう。写真2右列の上から東北地方、北陸地方、近畿地方の順に、国内のイヌワシ生息地をそれぞれ示しています。いずれも樹木の密集した森林です。イヌワシ生息地の地上付近は、樹冠で覆われ、上空からの見通しは極めて悪く、イヌワシによる餌の発見が困難であることがわかります。このため、イヌワシは餌動物の探索に膨大な労力を費やします。森林では、労力をかけなければ、餌を得ることができないのです。

■ 世界の事例から日本のイヌワシ生息地を考える

　イヌワシは上空から地上の餌動物を探索するため、地上付近が樹冠で物理的に遮蔽された森林では、餌を得ることがとても困難になります。そして森林は、イヌワシの採餌行動だけでなく、彼らの繁殖活動や生息分布にも強く影響を与えることが報告されています。例えば、イギリスのスコットランド地方では、大規模な植林に伴ってイヌワシの繁殖成功率が低下したことや、イヌワシ営巣地の周辺における植林面積が広いペアほど巣立ちヒナ数が少なくなることが報告されています。また、北アメリカのアパラチア地方では、植生遷移による森林化に伴って、現在ではイヌワシがほとんど生息しなくなった事例も報告されています。

　世界の事例を踏まえると、森林がイヌワシの採餌行動をはじめ、繁殖活動や生息分布に負の影響を与えていることは間違いありません。しかしながら、日本のイヌワシ生息地は、いずれも森林に覆われています（写真2右列）。なぜ、日本の森林にはイヌワシが生息し、繁殖できるのでしょうか？　彼らは、日本の森林をどのように克服したのでしょ

か？　以降では、最新の研究成果を交えながら、日本のイヌワシの生活を紹介します。

■ 日本の四季のメリットとデメリット

　日本のイヌワシ生息地では、冬に雪が積もります。積雪深は地域によって異なりますが、雪の少ない近畿地方は 2m 前後、豪雪となる北陸地方は 5 〜 7m に達します。降り積もった雪の重さは 300kg ／ m³ であるため、樹木はその重みに耐えることができず、幹から折れてしまいます。このため、積雪地では「しなやか」な樹種が多く、幹から折れ曲がって雪の下に埋没し、倒壊を避けることが知られています。実際に、イヌワシ生息地では、胸高直径が 10cm 以下であり、樹高が 10m 以下のすべての樹木が、雪の下に埋没します。

　その結果、冬季のイヌワシ生息地は、雪原と疎林がモザイク状に広がる環境へと変貌します。雪原と疎林で構成された環境は、地上付近に遮蔽物がなく、上空からの見通しが良いため、イヌワシにとって餌を発見しやすい環境です。日本の冬は、イヌワシに大きなメリットをもたらしていることがわかります。

　一方、雪が解けると、イヌワシ生息地は再び樹木に覆われ、森へと逆戻りします。森林はイヌワシの採餌行動をはじめ、繁殖活動や生息分布に負の影響を与えるため、明らかにデメリットです。日本の四季のうち、消雪の期間は春季・夏季・秋季であり、冬季に比べて長期にわたります。日本に生息するイヌワシは、一年のうち、多くの期間をデメリットにさらされているのです。

■ 日本の四季のデメリットを克服するために

　日本のイヌワシは、ヘビ類を高頻度に摂食します。イヌワシの餌に占めるヘビ類の割合は約 60％です。北アメリカやヨーロッパに生息するイヌワシがヘビ類をほとんど摂食しないことを踏まえると（イヌワシの餌に占めるヘビ類の割合は 0.1 〜 25.7％）、日本のイヌワシがヘビ類の

摂食に著しく特化していることがわかります。しかし、ヘビ類は、決して「良い餌」ではありません。イヌワシの主要な餌動物（ノウサギ）に比べて、栄養価が低く、消化率も悪いのです。

　「悪い餌」を摂食することは、生物学的に考えて、とても不思議な現象です。しかし、この不思議な餌利用にこそ、日本の四季のデメリットを克服する秘訣があることがわかってきました。図1をご覧ください。図1aは、冬季におけるイヌワシの採餌場所の分布を示しています。採餌場所とは、イヌワシがノウサギを捕獲する場所を指します。冬季の採餌場所は主に雪原や疎林です。冬季の採餌場所は、イヌワシの行動圏内に広く分布することがわかります。

　ところが、雪が解けて春になり、木々が芽吹いて緑の樹冠が形成されると、冬季のイヌワシの採餌場所（雪原や疎林）は消失し、イヌワシ行動圏内に分布しなくなります。つまり、春季〜秋季のイヌワシ行動圏内では、ノウサギを捕獲できなくなるのです。

　イヌワシは、春季〜秋季にノウサギを捕獲できないため、代替の餌を必要とします。この代替の餌が、実は、「ヘビ類」です。変温動物であ

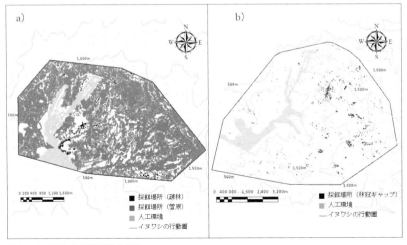

図1　イヌワシの採餌場所の分布
a）冬季、b）夏季。900時間におよぶ行動観察に基づきイヌワシの採餌場所を特定した後、それらと統計的に類似する場所を、GISを用いて地図上に示した。

るヘビ類は、日光を浴びて体温を上昇させるため「林冠ギャップ」と呼ばれる樹木の倒壊地を高頻度に利用します。一方、イヌワシは、林冠ギャップを春季〜秋季における採餌環境としています（図 1b）。つまり、春季〜秋季に、林冠ギャップにおいて、イヌワシとヘビ類の捕食—被食関係が形成されるのです。

　ヘビ類は、栄養や消化といった側面でノウサギに劣る「悪い餌」です。しかし、春季〜秋季にヘビ類を捕獲できなければ、イヌワシは、日本の森林で生き残ることができません。イヌワシがヘビ類を摂食することは、おそらく、日本の森林に生息し繁殖するための生存戦略です。

　このように、最新の研究によってイヌワシが四季のデメリットを克服し、日本の森林で生息・繁殖する秘訣が明らかになってきました。冒頭で紹介したように、日本のイヌワシは絶滅危惧種です。今後も、イヌワシが日本の森林に定着し続けるためには、冬季にノウサギ、春季〜秋季にヘビ類を捕獲できる生息地を創出・保全し、四季を通じて安定して餌を供給することが重要です。

タンガニイカ湖でのシクリッド調査

高橋 鉄美

■ 地質学的に珍しい湖

　アフリカ東部には、巨大な大地の裂け目である大地溝帯が南北に走っており、そこに水が溜まって湖沼群を形成しています。タンガニイカ湖はその湖沼群にある湖の一つで、南北に 650km（東京－大阪間の距離の 1.5 倍以上）、幅は平均 50 km にもなる巨大な細長い湖です。面積は 32,600km^2 で、兵庫県の 4 倍近くもあります。最深部は水面下 1,470m で、世界の湖の中ではバイカル湖に次ぐ第二位の深さです。

　一般に湖は、数千年ほどで土砂の流入によって埋まってしまいます。しかし、タンガニイカ湖は活発な地殻変動のため、埋め立てられるよりも早い速度で深くなり、1 千万年以上も水を維持し続けています。このように古くから存続している湖は「古代湖」と呼ばれ、世界に 20 ほどしかありません。このためタンガニイカ湖は、地質学的に珍しい特徴を持っている、ということができます。

■ 多様なシクリッドが生息

　しかしこの湖は、それだけではなく、住んでいる魚にも特徴があります。その魚はカワスズメ科（通称シクリッド）に含まれ、湖に 250 種ほどが生息しています。これらのほとんどはこの湖にしか生息していない固有種で、1 種の祖先種から進化したことがわかっています。

　このシクリッドは、形態や生態がとても多様です。例えば体サイズでは、巻貝の空殻を隠れ場所や産卵場所として利用する体長 3cm くらいの小さな種（写真 1）から、深場と浅場を大規模に回遊する体長 50cm にもなる大きな種（写真 2）まで、様々です。

　また、この魚は全ての種が子供の保護をするのですが、岩の隙間に産

写真1　タンガニイカ湖で最小の *Neolamprologus multifasciatus*
巻貝の空殻を使って繁殖する。右の大きな個体がオス、左がメス。

写真2　タンガニイカ湖で最大の *Boulengerochromis microlepis*
水中の点々は稚魚で、ペアで守っている。オスの方が若干大きいが、
この写真ではどちらがオスかわからない。

卵して両親で世話をする種や、卵や仔魚(しぎょ)を口の中で育てて外敵から守る種などが知られています。

　婚姻様式も様々で、魚としては珍しい一夫一妻や、オスの大きな縄張りの中に複数のメスが小さな縄張りを作る一夫多妻、逆にメスの縄張りの中に複数のオスがいる一妻多夫、またメスが一回の産卵で複数オスと繁殖する乱婚などが知られています。最近では、ヘルパーと呼ばれる若い個体が繁殖を手伝うという社会性を持つ種の存在も、明らかになってきました。これほど繁殖生態が多様な生物種のグループは、他に類を見ません。

　食べ物も種によって特殊化しており、魚食、エビ食、ベントス（底生生物）食、プランクトン食、藻類食、さらには生きた魚の鱗(うろこ)を剥ぎ取って食べる鱗食などがあり、それぞれの種が食性に適した形態に進化しています。これら多様な種が、たった1種から比較的短い時間で進化（適応放散）したことを考えると、このシクリッドが極めて特殊で、進

化研究に適したグループであることがわかります。

■ わかるところから研究する

　私は大学 4 年のときにこの魚に出会い、以来 30 年近くのあいだ研究を続けています。いまでも興味は尽きません。これまで行った研究のテーマは様々です。例えば、7 年ほど前にこの研究所（博物館）に来てからは、核 DNA 配列を使った系統解析、体サイズを決める生態的要因の探索、頭部にあるコブの進化の解明、新しい生態型の発見、体色変化の進化の解明などを行って来ました。これらの研究テーマは、一貫性がなくバラバラに見えるかも知れません。しかしそれは、タンガニイカ湖シクリッドがあまりにも多様で、手をつけられる所から調べた結果、このようになってしまったのです。「タンガニイカ湖シクリッドはどのように多様化したのか？」という大きなパズルのピースを、わかる所から一つずつ埋めている、といったイメージです。

■ 研究へのモチベーション

　このように私は、タンガニイカ湖シクリッドに魅了され、「知りたい」を追求して、長いあいだ研究を続けて来ました。また、この世界的に貴重な魚類の進化を解明することは学界への貢献度も高く、研究への使命感もあります。しかし、それだけで研究へのモチベーションを維持することがむずかしいと、感じることがあります。現地に赴くのに片道で最低 2 日間、通常は 3 ～ 4 日間の修行のような旅をしなくてはなりません。とくに、満員バスに 16 時間以上（時には 28 時間も！）揺られるのはとても辛いです。現地ではいまだに、言葉の壁でモヤモヤすることもあります。研究を続けるには研究費を得る必要があるのですが、そのために相当な努力も必要です。年齢とともに、体力も発想力も衰え、ときに弱気になることもあります。それでもモチベーションを維持できるのは、探究心と使命感に加え、現地での生活が要因の一つとして挙げられます。

現地調査では、朝8時半に家（通称「日本人邸」）を出て、現地の
コックス（艇長）が操縦するボートで調査地に移動し、午前中に潜水調
査を一本行います。水から上るとコックスが準備してくれた出来立ての
昼食をとり（トウモロコシの粉を練った「シマ」と魚の燻製（くんせい）「チニョン
ゲ」のトマト煮が定番）、体内の窒素濃度を下げるためにもう少し休ん
でから二本目の潜水調査を行い、午後3時頃にボートで日本人邸に
帰ってきてサンプルの処理やデータの整理をします。日本人邸では現地
のガードマンを雇っており、彼らが警備のほか、家の掃除や庭の手入れ、
さらに朝食と夕食の準備もしてくれます。研究や生活のサポートをして
くれる現地スタッフは素朴で明るく、彼らと接していると、日本でのス
トレスがスーッと抜けて行きます。
　青い空の下、広い湖を眺めていると、生きていることを実感します
（写真3）。私にとって現地調査は、それ自体に研究のモチベーションを
上げる効果があるのです。

写真3　ンクンブラ島から見た湖
主な調査地のひとつ。無人島のため、静かで落ち着く。

第4章

人と自然がつくる
地域の風景

コミュニティが育む身近な緑

赤澤 宏樹

■ 路地と下町の暮らし

　私は、大阪市内に残る戦前長屋で生まれ育ちました。実家の前は狭い路地で、父親が仕事の支度をしたり、近所のお母さん達が井戸端会議をしたり、年末にはご近所で餅つきもしていました。路地園芸も盛んで、幼少期の私にとって、ここは緑に囲まれた公園でもありました。ろう石で道に線を書いてケンケンパをしたり、色んな遊びの思い出があります。遊んでいる友達も 10 歳くらいの年齢幅があり、年長さんが年少さんの面倒をみてくれていました。おそらく母親は、どこかの公園に行くより、この路地で遊んでいる方が安心だったと思います（写真 1）。

　色んな人が狭い空間を共有する路地では、お互いの配慮が濃くみられます。例えばニュータウンでは、幅が広い道路ほど街路樹など緑が多く大きくなりますが、下町では広めの道路でも邪魔になるため緑は少なく、狭い奥まった路地になるほど緑が多く大きくなります。自転車も通れない狭い路地の奥に、8m を越す高木が植わっていることもあります。狭い路地は、ご近所さんしか使わないことがわかっているので、その範囲で生活の邪魔にならない最

写真 1　実家近くの路地
住民の配慮によって、狭いながらもきれいに管理されている。

大の緑化をするのです。もちろん、迷惑がかからないように落葉の掃除はきちんとしますし、邪魔な枝はすぐ切ります。空間の広さにではなく、住民の生活にあわせて緑が植えられるのです。

■ 阪神・淡路大震災とコミュニティを再生する緑

　1995年1月17日、阪神・淡路大震災が起こりました。当時、大学4年生だった私は、春休みには公園の避難地利用の調査を手伝ったりしながら、避難所や仮設住宅で孤独死の問題があることをニュースで聞いていました。被災地に下町も多く含まれていて、濃密なコミュニティで暮らしていた方々が、命の確保のためにバラバラに避難生活を送らざるを得ない状況でした。大学院に進学した私は、震災復興の手伝いを直接できないことに無力感を感じながら、密接なコミュニティの大切さを研究しようと、実家近くを含めた路地の研究をしました。車中心の機能的な（画一的な）まちではなく、路地のような多様な空間の大切さを示しました。

　人と自然の博物館の研究員として働き始めたのは、震災から3年目で、避難・復旧から復興に本格的に移り始めた頃です。仮設住宅から移り住むための、災害復興住宅が建ち始めていました。その1つの南芦屋浜災害復興公営住宅（以下、南芦屋浜）のまちづくりに、参加させていただくことになりました。南芦屋浜では、色んな仮設住宅から移り住む方々のために、早期のコミュニティづくりが工夫されていました。入居前か

写真2　だんだん畑での収穫祭の様子
全814戸に配れるよう栽培されたが、採れすぎて当日蒸して食べることに。

ら仮設住宅での「暮らしのワークショップ」を通じて、新たな暮らしの準備がされました。その中に、住棟の真ん中にあるだんだん畑で、みんなで緑を育てて仲良くなろうという試みがありました。だんだん畑以外の場所でも勝手花壇がみられるなど、緑を通したコミュニケーションが見られましたが、だんだん畑の活動ではそれがはっきり加速しました。当初の区分貸し花壇から、「みんなが仲良くなるために」共同畑に変更となり、収穫を中心とした交流を重ねることで（写真2）、新しいコミュニティが生まれました。これらの活動を、自分たちの意志で行い、ルールなども自分たちで決めるまちづくり的な方法も、だんだん畑の成功に寄与しました。

■ コミュニティ・ランドスケープ

　路地の緑と、南芦屋浜のだんだん畑の取り組みを比べて、「"共空間"を媒体としたコミュニティ・ランドスケープの形成」をテーマに博士論文を執筆しました。従来から景観（ランドスケープ）は、人の生活も含めた様々な環境が視覚的に現れたものとされていましたが、中でも人の生活が色濃い景観を「コミュニティ・ランドスケープ」と定義しています。かっこよくてシュッとした景観ではないかもしれませんが、自分の場所と感じ、交流によって育まれ、安心や愛着を感じるコミュニティの

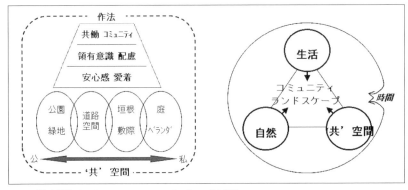

図1　"共空間"とコミュニティ・ランドスケープの概念

ための景観です（図1）。路地やだんだん畑に限らず、庭や道路、公園や街路樹など様々な場所でコミュニティ・ランドスケープをつくることができると思います。

■ コミュニティと公園

　身近な公園でも、コミュニティ・ランドスケープをつくる機会がありました。尼崎市にある西武庫公園は、1963年に開園した古い公園で、交通公園や分区園といった施設があることで有名です。2012年に兵庫県から尼崎市に移管されましたが、その際に必要性が低くなった交通公園を単に芝生化するのではなく、ワークショップを開催して、地域の皆さんの公園愛を継承する計画をつくりました。機能としてはいらなくなった交通公園部分も一部残し、地域の有志による交通教室の継続や、プレイパークやその他イベントがしやすい空間に再編しました（図2）。今でも地域の方々から、交通公園の愛称で親しまれ、ご近所の保育園の運動会などにも使われています。公園のリノベーションの先駆けとなる事例です。

　この公園に関わるきっかけを作っていただいた、関西学院大学の角野幸博教授（当時、武庫川女子大学教授）に、本の企画で「パブリック（公共）って何ですか」と質問しました。答えは「誰のものでもない場所を、誰かの場所

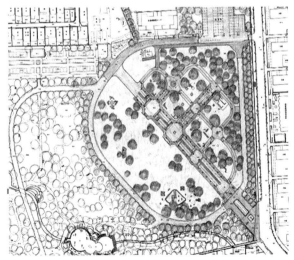

図2　交通公園の南半分が芝生化され、周りの樹林広場と一体化した西武庫公園の再整備計画4)

にすること」でした。日本の公園は「みんなの場所だから、あなたの場所ではない」と考えられることも多く、みんなの内1人が反対するだけでボール遊び禁止、会話禁止、自転車禁止などどんどん使いにくい場所になっています。本来はなにか問題が起こっても、互いの配慮によって使い方を工夫したり、禁止ルールではなく使い方マナーを決めたりするべきでしょう。このような取り組みが進むよう、各地で緑の基本計画の策定支援をしたり、ソフトも含めた公園づくりのワークショップ支援を続けています。

■ 苦情で生まれる"パツンパツン"の街路樹

　最近では、街路樹で問題が多く起こっています。皆さんも、パツンパツンに刈り込まれた、棒のような街路樹を見かけたことがあると思います（写真3）。あれは、3年に1度で済ませるため大きく剪定する、狭い空間に大きくなる樹を植えてしまっているなどの理由もありますが、もっとも多い理由は地域住民からの「掃除が大変なので、葉が落ちる前に枝ごと切って」という苦情です。問題をもっとも簡単で直接的な方法（枝ごと葉を無くす）で解決しようとして、地域の価値を損なっている例です。行政職員も切りたくて切っている訳ではなく、よく解決方法を相談されるので、まずは実態を研究で明らかにしました（図3）。

　苦情もデータとして蓄積し分析すれば、解決の方向性や、一緒に解決するパートナーは見つかります。パツンパツンにして欲しくない人は、多くいるけど声はあげないだけです。

写真3　パツンパツンに剪定された街路樹
ここまで切られると、樹形は元に戻らない。

146

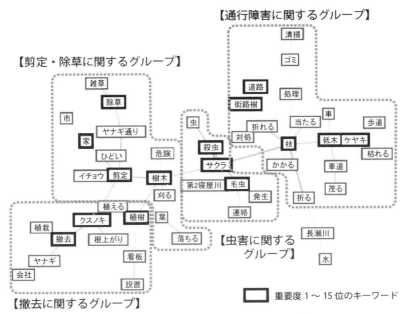

【通行障害に関するグループ】

【剪定・除草に関するグループ】

【虫害に関する
グループ】

【撤去に関するグループ】

■ 重要度 1 ～ 15 位のキーワード

図3　視覚化され、問題の全体が把握できるようになった街路樹への苦情

例えば自治会やまちづくり協議会で話し合い、みんなで落葉を掃除した
り、適切に剪定したりすると、街路樹だけでなくコミュニティも育成さ
れます。このような協働型の街路樹管理が、全国で見られ始めています。

■ 緑の効果と機能

　自然・環境と大きく捉えられがちな緑ですが、様々な効果と機能があ
ります（図4）。まず、「存在効果」として景観形成、防災、環境調節、
生物多様性などの機能があり、あるだけで多様な価値があります。加え
て、「利用効果」として保健休養や生産機能があり、使うことで人の生
活に近い価値をさらに生み出します。これらの存在と利用を媒体するこ
とで、文化・交流、健康福祉、教育・学習、賑わい創出、コミュニティ
形成、子育て支援、不動産価値など多様な機能が発揮され、地域の価値
向上につながるのです。

　地域には、子どもから大人まで、住民から商業者や企業までが一緒に

いて、様々なコミュニティがあります。それぞれの気持ちやできることを持ち寄って、身近な緑を育むことで、コミュニティが強くなり、地域の価値も向上します。今回紹介した事例は、こ

■都市の緩衝機能
無秩序な拡大防止、縮退時の暫定地など
■防災機能
延焼防止、自然災害防止、避難地など
■景観形成機能
美観形成、風致の保全など
■保健休養機能
スポーツ・レクリエーション、観光など
■文化・交流機能
歴史の継承、イベント交流など
■健康福祉機能
心身の健康増進、要配慮者の社会参画など
■教育・学習機能
社会性の獲得、自然環境の理解など

■微気象・環境調節機能
気温調節、大気浄化など
■生物多様性機能
生態系保全、生物資源の確保、生物多様性の持続的な利用など
■生産機能
農林水産物の生産、市民農園など
■賑わい創出機能
ブランディング、商業空間の形成など
■コミュニティ形成機能
地域活動への参画、社会的包摂など
■子育て支援機能
安全安心な屋外空間、家族間交流など
■不動産価値機能
周辺の不動産価値の維持・向上など

存在効果
↓
利用効果
↓
媒体効果

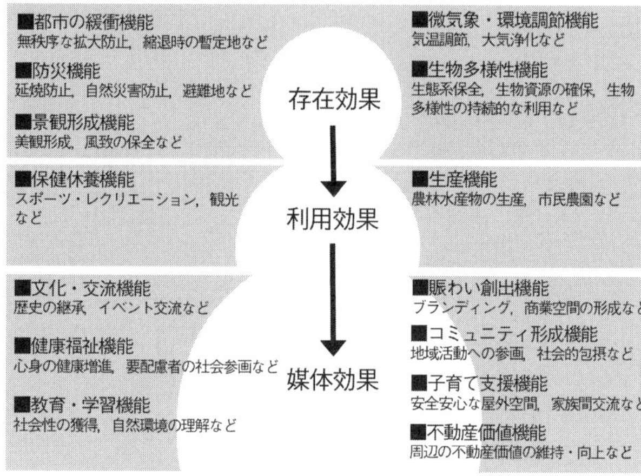

図4 緑の多様な効果と機能

れまでは少し特別な事例でしたが、その効果が広く認識され、当たり前のように地域で取り組まれることを願っています。

〈引用文献〉
1) 赤澤宏樹・増田昇・下村泰彦・山本聡（1998）住宅密集市街地における空間構造と空間認知の係わりに関する研究．ランドスケープ研究，61（5）：705-710.
2) 赤澤宏樹・田原直樹（2002）住民による緑化の発生と集合住宅の空間特性との関係．環境情報科学論文集．No.16：217-222.
3) 赤澤宏樹・中瀬勲（2000）南芦屋浜団地における緑化活動を通したコミュニティ形成への支援に関する研究．63（5）：631-634.
4) 柴田俊樹・村本次正・遠嶽明子・津田主税・赤澤宏樹（2015）西武庫公園の協議方式による再整備と継続的な活用．ランドスケープ研究増刊　技術報告集，8：128-133.
5) 赤澤宏樹・奥川良介・加我宏之・忽那裕樹・小西弘朗・近藤秀樹・長濱伸貴・野口健一郎・野田奏栄・花村周寛・武藤克夫・山崎亮・山本聡（2006）『マゾヒスティック・ランドスケープ』（分担執筆），学芸出版社，256p.
6) 赤澤宏樹・川口将武・藤本真里・上田萌子・大平和弘・田原直樹（2015）東大阪市におけるテキストマイニングを利用した街路樹管理への市民要望の把握．ランドスケープ研究，78（5）：741-744.
7) 赤澤宏樹（2021）公園緑地計画．造園学概論，朝倉書店，60-79.

コロナ禍でみえた身近な地域の魅力

藤本 真里

■「歩いていける地域」で見つけたもの

　2020年4月に発令された緊急事態宣言で、生活は一変しました。世界中を巻き込むコロナ感染拡大による被害規模は、これまでに経験したことのないものです。震災のように橋やビルが倒壊するなど目に見える被害はありませんが、経済的な打撃は、はかり知れません。しかも、コロナ禍は、多くの人々のライフスタイルを劇的に変えることになりました。

　私は、一時期に在宅勤務となり、日に1時間くらい散歩するようになりました。昨年引っ越したばかりで、現在の自宅は植木の町、宝塚市の山本にあります。引っ越し先の様子をよく知らなかったこともあり、1時間で歩いていけるところは、ほとんど行き尽くしました。立派な庭がつづく道、お地蔵さんの多いゾーン、予想外に広い造園業者のバックヤード、そこに揃えられた多種の樹木、坂上頼泰公（木接太夫）を伝える碑、美味しいコーヒー豆を売っている店、駅前から少し歩いただけで行ける別世界のような渓谷にある最明寺の滝など、一人で歩いただけでも、見つけられるものがたくさんありました。

　身近な場所に感動するものを見つけることは、予想外にワクワクする作業です。コロナ禍はこれからも続きます。他府県に移動できない、在宅勤務が増えるなどの理由で、身近な地域との関わりがこれまでよりもずっと深くなるでしょう。それは一方では、地域を深く知る機会ともいえます。

■ 地域の魅力を再発見

　島原万丈は、「本当に住んで幸せな街～全国「官能都市」ランキング」

（光文社）で、他者との関係性、五感で感じる身体性を基準に街を再評価しています。8つのジャンルごとに4つの評価項目があります。例えば、「買い物途中で店の人や他の客と会話を楽しんだ」（ジャンル：共同体）、「カフェやバーで一人で自分だけの時間を楽しんだ」（ジャンル：匿名）、「公園や路上で演奏やパフォーマンスをしている人を見た」（ジャンル：街を感じる）、「木陰で心地よい風を感じた」（ジャンル：自然を感じる）、「遠回り、寄り道していつもは歩かない道を歩いた」（ジャンル：歩行）といった具合です。このような質的な評価から、まちの雰囲気、居心地を感じることができます。

　これまでの都市のランキングを示す評価指標は、公園の面積、公共施設の数、病床数、空き家率などでしたが、どこか、それだけじゃないと感じていませんでしたか。上位にランキングされれば、なんとなく自慢になるけど、ランキングは、具体的なまちのイメージや魅力を伝えるものではありませんでした。

　職場にさえ通勤できなくなった状況で、身近な地域を見つめ直すことになって、私なりに「官能都市的評価指標」が思い浮かんできました。「近くの公園ではじめて会った人と会話を楽しんだ」、「近くの居酒屋で一人の時間を過ごした」、「お地蔵さんに供えられた生花に癒される」、「他人の庭を楽しみながら散歩できる」などなど。住んでいる人、訪れたことのある人にしか感じることのできない現象や人とのつながりを、五感で感じとり評価する指標さがしは、身近な地域の魅力を再発見するきっかけづくりに最適な作業です。

■ 屋外空間は利用者の工夫で価値があがる

　私は、公園のマネジメントに関わっているので、身近な空間の中でも、とくに公園を訪れる人の様子が気になります。家の近くに広大な芝生広場があります。ラジオ体操、走り回る小さな子供連れの家族、ゆっくり散歩する高齢者夫婦、愛犬を連れた散歩、自転車に乗った小学生、寝転がって読書・ゲーム、友達や家族でランチ、ベンチに座ってゆっくり休

む、池の鯉をながめる、などなどと、広場を利用する人の様子は、コロナ禍以前より多種多様です。コロナ感染への対応で互いにたいへんな中、公園でくつろぎたい気持ちはよくわかります。いろいろな活動を認め合える空気があったようにも感じました。一般に広大な芝生広場は、設備も遊具もなく、利用者が少ない傾向がありましたが、昨今は、そこにテントや遊具を持ち込み、それぞれがやりたいことで楽しむようになりました。遊具や設備で使い方が限定される屋外空間より、自由に使える芝生広場の方が、コロナ禍では重宝したようです。利用する人の工夫で価値があがる屋外空間には、いろいろな可能性がありそうです。

　最近、ひとはくの周辺にある深田公園では、座り込めるシートの上に約150冊の絵本を並べた「えほんの国」、寝そべるためのシート、家族などでランチに利用できるテントなどを配置し、そこでゆっくりくつろいでもらったり、お話するきっかけを作るためコーヒーサービスをしたりするなど、集まった人々が思い思いに過ごせる場―「そとはく」をつくろうとしています（写真1）。こ

写真1　ひとはくのエントランス近くの芝生広場にテントやコーヒーサービスカウンターをセッティングした「そとはく」

写真2　たくさんのあそび道具の中から好きなものを選べる「あそびカウンター」

れは、「公園でこんな楽しみ方もできますよ」という呼びかけでもあります。

　また、有馬富士公園の休養ゾーンにある広大な芝生広場で「あそびカウンター」（写真2）をセッティングし、ボール、フリスビー、凧などの遊び道具を無料で貸し出しました。大きな広場で多くの人々が「あそびカウンター」を利用し、いろいろな遊びをしている様子をみていると、私も嬉しくなります。運用には何の問題もありませんでした。使いすぎてだめになる道具もありますが、仕方ありません。みなさん、「すみません」と謝りながら返してくれます。最後は、いっしょに片付けてくれる人々もいます。あそびカウンターにいると、いろいろな人が話しかけてくれます。「何でこんなことをしているのか」、「なぜ、ここにきたのか」、「どこから来たのか」、「こんなことをしてほしい」、「ありがとう」など、このような会話で得られる情報も貴重です。これらの会話が、「公園で知らない人と会話を楽しんだ」という経験につながり、さらに休養ゾーンへの愛着につながれば、うれしいことです。

　これらの事業は、人と自然の博物館の環境計画研究グループが中心となって実践しています。専門家がいないとできないことではありません。他の公園などでも、真似しまくってもらえたらよいと思っています。

　身近な地域の資源を掘り起こすという作業は、まちづくりの中で地域を知るためによく行われます。住んでいる人ほど、その地域の魅力に気づいていないことが多いからです。よく「私のまちには何もない」という人がいますが、それは、観光資源になるような有名なものがないという意味でしょう。地域資源がないまちは、存在しないと思います。何もないというのは、掘り起こすことをしていないからです。

　コロナ禍で何度も地域を歩いていると、いろいろなことがわかってきます。日常をとりまく見慣れた風景の中に、意外な履歴を積み重ねること。それが、私が最近ハマっていることで、いろいろな人に解説しています。

神社を地域防災の拠点として活用する

高田 知紀

■ はじめに—神社と防災の関係

　日本各地に鎮座する神社は、数百年から数千年の時間単位で国土のなかに存在しています。その間、人間社会は人為的・自然的を問わず様々なリスクにさらされてきました。すなわち、永く日本の国土に鎮座している神社は、その間に発生したリスクを何らかの形で乗り越えながら現在にその姿をとどめているのです。

　2011年の東日本大震災の後には、多くの人びとが神社と自然災害リスクとの関係に注目することとなりました。メディアによる報道やいくつかの研究論文によって、東北被災地の沿岸部で津波の浸水域を避けるように神社が立地していることが報告されたからです。

　一方で現代社会においては、地域での氏子制度の崩壊、神職の高齢化など様々な問題から、神社そのものを適切に維持管理し、後世に持続可能な形で残していくことが困難になりつつあります。今、わたしたちは「防災」という共通の課題のなかで、神社のもつ多様な価値をどのように捉えることができるでしょうか。

■ 神社空間の災害リスクポテンシャル

　南海トラフ巨大地震が発生した場合に大きな被害が出ると想定されている和歌山県の神社について、自然災害リスクのシミュレーションを行いました。その結果、津波については県内の神社の約9割（調査対象の神社412社のうち374社）が被害を免れうる立地であることがわかりました。他にも、河川氾濫に対しても約9割（調査対象の神社412社のうち375社）の神社が安全性を担保しうる立地という結果になりました。和歌山県の神社は、コンビニエンスストアや公民館、小学校よ

りも数が多いことから、地域防災の取り組みのなかで活用できる大きな可能性を秘めているといえます。

■ 式内社・伊達神社のコミュニティへの想い

　和歌山県の神社は水害に対して比較的安全な立地にある一方で、残念ながら地域の神社は住民にとって、いざというときに避難できるような身近な存在ではありません。かつてはコミュニティの大切な活動の場として多様な価値を有していた神社空間は、現代においてその多くが地域社会との関係を失いつつあります。

　和歌山市・有功地区に鎮座する伊達神社では、人びとが日常的に神社に訪れるきっかけをつくるとともに、防災コミュニティのひとつの拠点として神社空間を活用するための様々な取り組みを進めています（写真1）。伊達神社の宮司・藪内佳順さんは、奉職する伊達神社が、南海トラフ巨大地震や紀ノ川の洪水などの災害リスクに対して安全な立地であることを知り、いざというときに地域住民の緊急の避難場所になるように、社務所に水や非常食などを備蓄しました。地域防災という課題に対してアプローチすることが、神社と地域社会との関係を再構築するための大切なきっかけとなると考えたのです。

写真 1　和歌山市・有功地区に鎮座する式内社・伊達神社の
　　　　境内
記紀のなかで、スサノオノミコトともに木の種を国土に播いたイタ
ケルノミコトを主祭神としている。

■ 地域を歩いて体感する「有功地区ふるさと探検ツアー」

　2018 年 5 月よりトヨタ財団の研究助成を受け、災害時の自主避難所

としての整備を進めていた伊達神社を拠点に、新たな防災コミュニティ形成の社会実験を展開することになりました。そのためにまず実施したのが、「有功地区ふるさと探検ツアー」です（写真2）。このツアーに

写真2　有功地区ふるさと探検ツアーのようす
ハザードマップに載らない局所的な災害リスクを確認しながら地域をくまなく歩いた。

は、氏子総代やその他の近隣住民にも呼びかけ、まちづくり、交通、地質学、考古学などの専門家も参加しました。そうすることで、「防災」というテーマに限定するのではなく、地域の歴史や史跡名所、地理地形の読み解き方、教育や福祉の問題、地域づくり方策など多様で包括的な視点をもちながら、フィールドワークと対話を展開することを目指したのです。

　ふるさと探検ツアーの重要なポイントは、見慣れた風景に対して意識的に「？」をつけることです。特に微妙な高低差に着目すると、日常の風景から色々な情報を得ることができます。たとえば有功地区の真ん中には、東西に直線的な数メートルの高低差があります。これは、根来断層という断層の活動によってできたものです。

　また過去の航空写真をみてみると、ため池の下流側には田んぼだけが広がっていました。しかし現在は、家や保育所などができています。豪雨や地震などでため池が崩壊すると地域に大きな被害をもたらします。大切なのは、ハザードマップに掲載されていないような局所的なハザード情報を地域の人びとが知ることです。

　ふるさと探検ツアーは、地域の貴重な資源についても人びとが認識する機会となりました。伊達神社以外にも、有功地区には多くの寺院やお

堂、祠、井戸などの史跡があり、それぞれに謂れや伝承があります。また山側を歩けば、紀ノ川に向かって広がる素晴らしい景色に出会うことができます。

　これらの地域の詳細なハザード情報、あるいは身近な史跡や素晴らしい景観といった地域資源を、人びとは普段ほとんど気にせずに生活していました。ふるさと探検ツアーをとおして参加者が共有したのは、大切な資源を活かしながら、地域の抱える課題を解決するための実践活動の必要性でした。

■「無病息災マップ」製作プロジェクト

　ふるさと探検ツアーの成果をふまえて、伊達神社周辺の史跡名所やハザード情報などを掲載したマップづくりのプロジェクトを進めることになりました。プロジェクトには伊達神社宮司、氏子総代、さらに神社に隣接する有功小学校「育友会」のOBが参加しました。

図1　絵地図作家・植野めぐみ氏によるデザイン
人びとが思わず手に取りたくなるデザインをコンセプトに、プロジェクトメンバーが議論を重ねた。

マップづくりのミーティングと現地確認を何度も繰り返すなかで、「多様な人びとが多様な用途で活用できる地図」をコンセプトとして、絵地図による表現で有功地区の個性を強調したデザインとすることを決めました。災害情報だけでなく、地域の魅力や価値など多様な情報を組み込んだ地図とすることで、楽しみながらハザード情報を認識できるようなしかけを目指したのです（図1）。

　一方で、多様な情報を組み込めばマップとして見づらいものとなってしまいます。そこでマップの表現方法としては、地域の地形と建物などの最低限の要素をベースマップで表現し、その他の情報についてはマップの使用者が個々にカスタマイズできる形にしていくこととしました。具体的には、ベースマップの上に、その他の情報が書き込まれた透明のフィルムを重ねていくことで、それぞれが関心のある情報が地図にプロットされていくような方法です。またベースマップはクリアファイルになっており、地図以外の用途として利用できるだけでなく、水でにじ

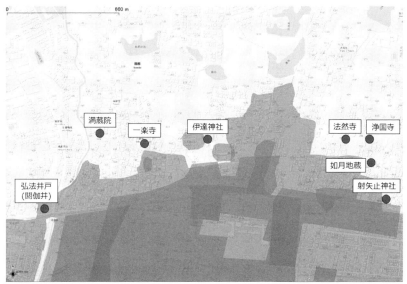

図2　伊達神社周辺の史跡と河川氾濫浸水想定域との位置関係
ちょうど浸水想定域の境界部に史跡が位置していることがわかる。

む心配がないことから、雨のなかの避難時にも有効に活用することができます。

　マップづくりプロジェクトで大切にしたことは「地域の人びとが地域内を歩く契機を創出する」ということでした。有功地区は、住民の移動手段は多くが車やバイクです。そのため、日常的に通る道は限定され、さらに地域の微細な地理の変化を実感することがほとんどありません。つまり紀ノ川の氾濫や山側で土砂災害が発生した際に、水や土石流がどのような範囲で被害を及ぼすのかということについてイメージしにくいのです。

　マップづくりのミーティングを重ねるなかで、有功地区の神社・寺院やお堂などの配置がちょうど河川氾濫時の浸水想定区域の境界上に位置することがわかりました（図2）。また、土石流や斜面崩壊のリスクが高いスポットは、紀ノ川への眺望が開けている場所です。そこで、史跡・名所や眺望点を結ぶウォーキングコースを設定し、そこを歩くことが自動的に地域のリスクの高いエリアを認識する契機となるようにしました。地域の歴史的文化的背景を知るとともに、地形を体感しながら歩くことで健康を増進しながらも、災害リスクの高いエリアを同時に把握するという複合的な価値を組み込んだマップにしたのです。

　災害情報と避難経路、住民の健康増進と交流、さらに地域の歴史的文化的背景を統合的に捉えたマップは、人びとが自身の暮らす地域の特性を

写真3　作成した「無病息災マップ」
伊達神社の社務所で配布されている。

理解し、健康に暮らしながら、災害時に適切に行動するためのコミュニティの下地を形成することに貢献します。そこで伊達神社を核としたこのマップを「無病息災マップ」と名付けました（写真3）。

■「わざわい」を避けて「さいわい」を得る

　神社において実施する夏越の大祓などの祭事はまさに、無病息災を祈願するものであり、健康で安全に暮らすことそのものが一つの幸福の形であるという考えにもとづいています。無病息災マップは、そのような伝統的な日本の幸福概念を防災コミュニティの形成という現代的課題にもとづいて具体化したツールであるといえます。

　伊達神社で実現したのは、地域防災に貢献しうるツールを作成するプロセスを通じて、神社を拠点とした新たな地域主体を形成することです。さらにプロジェクトにかかわった人びとは、地域空間の構造と履歴に対する多様なまなざしを共有していきました。

　古くから日本人は自身の身に降りかかる「わざわい」を回避するために祈り続けてきました。「わざわい」という日本語の語源は「わざ」が「這う」です。「わざ」とは、「人知を超越した何者かの力」という意味の言葉です。すなわち「わざわい」はそもそも人びとがコントロールできるものではなかったということがこの言葉の語源から理解できます。わざわいを回避するための祈りの空間として神社は長く地域社会のなかで重要な役割を果たしてきました。

　本稿で示した知見は、「防災拠点としての神社」という視点でみると今日的ではありますが、「わざわいを回避するための祈りと実践の場」という点では、神社空間がもつ普遍的な価値を体現しているといえます。先人のわざわいへのインタレストに着目し、様々なスケールでの「時間性」のなかで防災減災のあり方を考えていくことが、わたしたちの安全安心な暮らしを実現することにつながります。

風景の価値を探る～世界遺産登録へ向けた調査から～

大平 和弘

　人は大昔から大地の上で自然と共に暮らしてきました。厳しい自然と向き合い、自然から多くの恵みを得るため、地域ごとに違った営みや暮らし方を発展させてきました。また、人はときに人知を越えた自然の力や美しさに感銘を受け、祈りや芸術など地域ごとに豊かな文化を生み出してきました。このような人と自然との関わり方が眼に見える形で示されている、あるいは眼に見えなくとも感じることのできる姿を、我々は「風景」として捉えることができます。

　私は、造園学（ランドスケープ）を専門分野とする立場から、「人と自然がうまく調和した風景をいかに守り、いかに創り出していけるのか」ということをテーマに地域と向き合っています。ここでは、「風景の価値はどこにあるのか」という、専門分野の根源的な命題が問われる調査の現場から、研究活動の一端をご紹介したいと思います。

■ 世界遺産登録を目指す「鳴門海峡の渦潮」

　「うずしお（渦潮）」という言葉は誰しも聞いたことがあると思いますが、実際に本物の渦潮を観潮したことのある人は少ないかもしれません。渦潮が見られる場所は国内に幾つかありますが、もっとも有名な場所が淡路島南西端（兵庫県南あわじ市）と四国の北東端（徳島県鳴門市）との間に位置する「鳴門海峡」です。狭い海峡に潮が流れ込み、海峡中央の速い流れと海峡周囲の遅い流れとの間の海面に、渦模様が次々と現れる姿は圧巻です（写真1）。世界的にみても、これほど大きな渦を間近で見られる場所は珍しく、近年この鳴門海峡の渦潮を世界遺産へ登録するための社会的気運が高まり、世界遺産に相応しい自然的、あるいは文化的に優れた価値を持つことを証明するための学術調査が進められてい

ます。

鳴門海峡は、古くは歌川
広重が国内の名所を描いた
六十余州名所図会（1853
〜1856年）に取り上げら
れ、日本八景（1927年）
や新日本百景（1957年）、
平成百景（2009年）など
にも繰り返し選ばれてきた、

写真1　船から捉えた鳴門海峡の渦潮の風景

日本を代表する風景です。私は、鳴門海峡のどんな風景が称賛され、価
値が見出されてきたのかを探ることにしました。

■ 絵画に描かれた風景から探る

絵画（風景画）は、実際に見えるものを絵師の心情や表現したいこと
のフィルターを通して描き出されたものです。このとき、主題とする要
素や構図によって、描く要素の取捨選択が行われます。したがって、当
前のことですが、絵画に描かれた風景の要素は、その風景を表現する上
で、無くてはならない重要な要素といえます。また、絵画は、その場所
を訪れたことのない多くの人々に、風景の魅力や価値を伝える媒体とな
ります。そこで、近世から現代（1735〜1969年）に鳴門海峡が描か
れた絵画を56点集めて、絵画にどんな要素が描かれているのかを調べ
ました。

たとえば、図1の浮世絵、歌川広重（1857年）「阿波鳴門之風景」
には、「島」や「渦」のほか、様々な海面表現が見られるなど11の風
景要素を読み取ることができます。この要素を、構図や主題の変化で分
けた4つの時代区分（第1期：近世1735〜1851年、第2期：幕末
1855〜明治1915年、第3期：大正から戦後〜1954年、第4期：現
代〜1969年）で集計しました（図1グラフ）。その結果、鳴門海峡の
風景を代表する「渦」以外にも、対岸の「山」や海峡の「岬・入江」

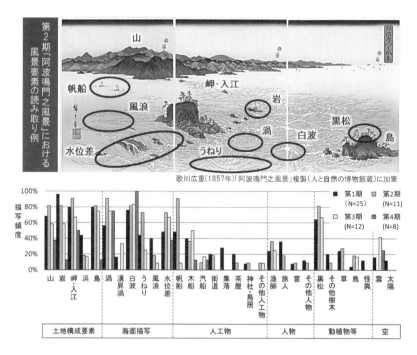

図1　絵画の風景要素の読み取り例と各要素の描写頻度

「島」、「黒松」などが多く描かれ、これらの要素は鳴門海峡の風景とし
て普遍的な価値を有する要素といえます。一方、近世（第1期）に多
くの種類の要素が描かれていたのに対し、現代（第4期）は「渦」や
「白波」など要素が限定的になりました。近世は標高の高い展望台から
パノラマ景を楽しむ旅が主流であり、現代は写真1のように船の上か
ら渦を鑑賞する観光が主流となるなど、鳴門海峡の風景の捉え方が時代
によって変化していることがうかがえます。このように、絵画を通じて
過去から現代の風景の価値やその捉え方が見えてきました[1]。

■ 絵葉書に捉えられた風景から探る

　鳴門海峡は、鑑賞上価値の高い風景を有することから1931年に名勝
に指定され、その後観光地化が進められるなど、近代に大きな変化を迎

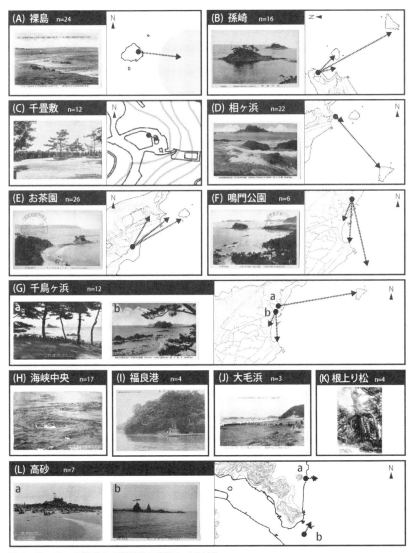

図2　各エリアを代表する絵葉書と鑑賞すべき対象

矢印で示す対象は、そのエリアの特徴として統計的に有意な関係性が示された対象を示す。絵葉書はいずれも人と自然の博物館蔵。

えました。先の絵画の分析から、時代によって風景の捉え方が異なっていましたが、鳴門海峡の風景の価値は、鑑賞すべき対象、あるいは保護

すべき対象として近代に成熟し確立したものと考えられます。そこで、鳴門海峡の見所となっていた風景が撮影された近代の絵葉書（1913 ～ 1939 年）を 160 種類集めて、どの場所から何が映し出されていたのかを調べました。

　その結果、撮影場所は A ～ L の 12 エリアに分けられ、図 2 で示すような要素が鑑賞すべき対象として捉えられていました。具体的には、海峡中央の渦潮を捉えた絵葉書は A と H のみとなり、島々と岬や入江が創り出す渚の風景（B・E・F など）や、岩や黒松越しの島の風景（D・G など）、珍しい形の奇岩の風景（L）などを鑑賞すべき風景として捉える特徴がありました。このように、絵葉書から価値づけがなされた当時の鳴門海峡の風景の姿を知ることができました[2]。

■ 風景の価値をめぐる今日的課題

　以上のように、絵画や絵葉書を通して風景の価値を探ると、かつての鳴門海峡の風景は、「渦潮」だけでなく、対岸の山並みや岬・入江、点在する島々や黒松・岩など多くの鑑賞すべき対象があり、それらを望む風景に価値が見出されていたことが明らかとなりました。

　しかしながら現在は、海峡を大鳴門橋が縦断しており、海岸や山の頂上にはホテルや観光施設、風力発電施設などが建ち並んでおり、自然的な風景を損ねていることが懸念されます[3]。写真 2 に示すように、大鳴門橋の巨大な橋脚や植生の遷移などにより、価値が見出された当時から変わらぬ風景を鑑賞することは難しい状況にあります。一方で、写真 3 に示す

写真 2　現在の孫崎からの風景（図 3 の B と同じアングルから撮影）

ように、大鳴門橋の存在は、渦潮の風景を真上から鑑賞することのできる新たな展望地として評価することもできます[4]。今後は、現在の風景の姿を捉え、変わらないものや変えてはいけない価値のあるもの、変わってし

写真3　大鳴門橋遊歩道から捉えた渦潮の風景

まったものや変わることを許容するもの、新たに価値を有するものを整理し、鳴門海峡の風景の本質的な価値がどこにあり、何を保護すべきなのか、議論を積み重ねていく必要があります。

　「風景の価値はどこにあるのか」という冒頭の命題に対しまだまだ道半ばです。むしろ、道半ばであるからこそ、調査研究することの面白さや学術的な意義があるのではないかと感じます。

〈引用文献〉
1）大平和弘・藤本真里・福本優・赤澤宏樹（2019）絵画にみる鳴門海峡の風景認識の変遷に関する研究．ランドスケープ研究，82（5）：571-576.
2）Ohira, K. (2021) A Study of Viewpoint Areas and Landscape Features of Modern-day Naruto Strait as Seen in Postcards, Journal of Environmental Information Science, Vol.2020, No.2, 31-41.
3）大平和弘・大野渉・白取茂（2020）鳴門海峡を捉えた眺望景観における構成要素と構成領域の評価に関する研究．環境情報科学研究発表大会論文集第34, 162-167.
4）大平和弘・大野渉・白取茂（2019）鳴門海峡における渦潮の視点場と見え方に関する研究．環境情報科学研究発表大会論文集 33, 7-12.

実験的な風景づくりからの都市計画

福本　優

　皆さんは、都市計画という言葉を聞いて身近に感じますか？　きっとそのような人はほんの一握りで、多くの人にとって都市計画は「どこかのお役人が決めている自分とは縁のないこと」なのではないでしょうか。確かに少し前までは、都市計画は市民から縁遠い存在でした。しかし最近、市民によって生み出される都市の活動が、公の都市計画に影響を与える事例が見られます。本稿では、市民が関わる都市計画について、公の立場から紹介したいと思います。

■ そもそも、都市計画って？　そして、その変化って？

　さて、市民にとっての都市計画が、遠い存在から少しずつ近い存在に変わり始めていると述べました。そもそも「都市計画はどのように生まれたのか」を知ることで、身近になった理由を知ってもらえるのではないかと思います。

図1　産業革命後のロンドンの様子（出典：レオナルド・ベネーヴェロ著、訳）佐野敬彦、林寛治（1983）「図説 世界の都市史４―近代―」相模書房）

　図1は、産業革命後のロンドンの様子です。奥に描かれた橋の上をモクモクと煙を立てて走る汽車の様子が、いかにも産業革命を象徴しているようです。目

を下の方に移すと、たくさんのテラスハウス（長屋）が描かれています。今も残るロンドンらしい風景なのですが、その庭に注目してください。よく見ると、人がたくさんいませんか？　産業革命が生みだしたものはたくさんありますが、大量生産と流通も、その一つです。そして、この変化は従来までの働き方を変化させ、多くの労働者を生み出しました。地方で仕事のない人々は都市に労働者として流入し、図1にあるような過"密"な状態を生み出したのです。

　過"密"になった都市は大きな問題に直面しました。それは、不健康な労働者の増加です。不衛生な水や空気等の劣悪な住環境の中、過"密"に暮らす都市民は、流行り病にかかる等の様々な不利益を生み出してしまった。この状況を改善すべく、上下水道や風通し等の住環境の改善を目指したのが、近代の都市計画の起こりなのです。それ以降、さらに産業が発展し都市が拡大すると、煤煙や工業廃水による都市環境汚染、モータリゼーションなどによる交通問題等、都市が抱える問題も膨らみました。結果として、人々が健康的な環境を求めて都市から離脱するため郊外ベッドタウンが発展し、新たな乱開発の問題も生まれました。こうした都市の取り巻く環境の変化が背景にあり、都市が大きく発展する拡大期での都市計画の最大の目的は「安全で衛生的な都市をつくる」ことだったのです。

　しかし近年、日本をはじめ先進諸国は人類史上初めての課題に直面します。それが人口減少です。実は、大きなトレンドとして人口が減少するという事態は、今まで私たち人類は経験したことがないのです。それぞれが地続きの欧州諸国とは違い、日本では、その影響は特に大きな課題として昨今取り上げられています。人が増えることで消費が進み、発展する社会をベースにしていた都市の拡大期では、課題に対して更なる消費や都市の拡大により応えてきたわけですが、人が減り、消費の増加が見込めない社会をベースにした課題への解決策は、誰も持ち合わせていません。人口が減り、経済活動の縮退も予見される社会の中で、近代都市計画で既に大きく育った「安全で衛生的な都市」を「どう使いこな

すか?」という、縮小期での都市計画の目的が生まれてきているのです。

　放っておいても発展する都市の拡大期には、無秩序な開発を、行政が都市計画によって定めた開発基準等の制限を行うことで管理することができました。しかし、縮小期に既にある都市を使いこなすことは、行政にも経験がなく、我々市民が主体となって考えることが重要となります。図らずも、コロナ禍という感染症が私たちの暮らし方に再び変化をもたらしています。デジタル技術の進歩もその変化を助けてくれます。「行政がルールを決めて使う」から、「私たちが相談しながら使う」に都市計画も変化していく時代になっているのです。

■ 今ある都市空間を使いこなす〜実験的な風景づくり〜

　「私たちが相談しながら使う」って、どうするの?　となりますよね。駅前でストリートライブしたり、オフィス街でキッチンカーを使ってカレー販売したり、「都市空間を使うなんて、めっちゃハードル高いねんけど」と、やはり自分とは関係ない話になってしまいがちです。しかし、例えば、あまり使われていない芝生広場で子供と遊ぶことや、芝生の端の小さな塀に腰かけてお茶することくらいなら、どうでしょうか?　こんな小さな使いこなしから、都市空間は変わっていきます。

　芝生広場にも管理者が存在します。「芝生維持のために広場の利用禁止」という張り紙を見かけたことがあるかもしれません。管理者は芝生の管理コストをできる限り下げるために利用を禁止しているわけですが、では何のために芝生広場があるのでしょう。鑑賞美を求める庭園において"庭園全体の美のため"なら利用禁止という管理にも合点がいきますが、公園のような都市の憩いの空間であれば、利用禁止という管理は良くないかもしれません。適切な程度はありますが、多くの人が憩いのため、遊んだりお茶したりする使いこなしが実現するような、場所に応じた管理の仕方が求められるかもしれません。しかし、一般的な管理方法を変えることは難しく、利用者（＝市民）も禁止されているので使いだせない、管理者もニーズが見えていないので解放できない、というジレ

ンマが生まれがちです。私は当博物館を使って、こうしたジレンマから一歩踏み出して、都市空間の利用や管理（マネジメント）を変化させるような取り組みを、試みています。

■ ルールはないけど、なんだか使いにくい芝生広場を使ってみる！

　2017年に着任した時に気になっていた、あまり上手に使えていない芝生広場が、博物館にありました。博物館では、運用で利用禁止にしていなかったのですが、きれいに管理されているためか、歩道からよく見えるためか、芝生で遊ぶ人を見かけることはなかなかありませんでした。芝生広場は遊ぶ場・居る場とは認識されていませんでした。

　そこで、2018年から実験的に『そとはく』とタイトルを付け、「パラソルとミニテント、カフェカウンターと少しの絵本を持って、芝生に立つ」という活動を始めました（写真1）。芝生で遊ぶプログラムは展開せず、芝生を「居られる空間」に少しだけ変化させるという取り組みです。カウンターに私が立っているので、「何しているのですか？」と声を掛けられれば、「芝生でゆっくりしてください」と答える活動を続けていると、芝生広場にシートを敷いてお弁当を食べる家族や絵本を読みながら座る人が登場し始めました。誰かが利用し始めることで、芝生広場が遊ぶ場・居る場と認識され、次の利用者を誘引します。利用が継続していると、地域の子育て支援施設の方たちも定期的に芝生広場を利用してくれるようになりました。赤ちゃんと日向ぼっこするお母さんも見かける

写真1　「そとはく」の様子
手前では自前のシートを広げ、風景に参加する人が登場している。

ようになりました。まずは、実験的に利用しやすい風景を作り、利用している実態を積み重ねることで、場所のイメージを変化させることができた事例です。

　現在、この利用の変化は博物館の新たな施設計画や、市の地域再生ビジョンにも影響を与えようとしています。利用ニーズが不明な状態での新たな計画づくりは、特に行政では難しく、公共空間の整備などでは大きなハードルとなります。しかし、実験的に風景を作ることで、私のような都市の専門家以外でも直観的に理解することができるようになります。多くの人の目に見える形で「こんな風景って素敵だ」と伝え、多くの人が都市空間を使いこなせるのだという実績が、これからの計画づくりの将来イメージとなり、基礎資料となっていくのです。

■ おわりに

　私は公的施設の研究員として、また都市計画の専門家として、実験的な風景づくりを通して、地域の再生に取り組んでいます。そこには、一定の将来の都市イメージがあります。しかし、私のような専門家が持つイメージだけで都市が形作られていくわけではありません。都市計画は大きな変化の真っ只中にあります。誰か一人が考える都市計画から、市民一人ひとりが考える都市計画が求められる時代です。そして、その多様さが都市の魅力を生み出していくのです。自分本位ではなく、多くの人が他者を尊重しつつ主体的に利用することで、都市空間の価値が育まれていくのです。

　コロナ禍の 2020 年からは、住まいの近くで過ごす時間も増えています。もう一度、自分が暮らす地域（＝都市）に目を向けてみる機会です。なんだか楽しくない都市を、暮らしていて楽しい都市に変えるチャンスは、意外と近くにあるものです。大きな都市像などを描く必要はありませんが、「こんなことができる街になったらいいのに」という思いをちょっと実践することが、これからの都市の姿を創り出していくことにつながるのです。

里山が持つ価値、美しさを未来につなげる

衛藤 彬史

■ はじめに

　私の専門は農村計画という分野になります。平たくいえば、望ましい農村のあり方（未来）を展望し、実現に向けた方法を解明するための学問です。

　遡ること15年前、京都に住みたいという思いだけで東京から京都の大学に進学した私は、農学部に入学し、そこで農業土木系の科目を学ぶことになります。授業の多くは工学系で、ダムの強度計算や川の流速と護岸設計といった内容に関心を持てず（今ではその重要性は理解しているつもりです）、心からやりたいと思うような仕事も思い当たらず、怠惰な学生生活を送る日々でした。そうした中で、この農村計画という分野に、そして研究の面白さに次第に惹かれていくことになります。

　調査・研究や活動で農村をたびたび訪問する中で、そこでの人の暮らし方や生き方、自然との関わり方の中に、美しさや愛らしさを感ずることがありました。特に、ご高齢の方と接したとき、また古くからの習慣や習わし、暮らしの仕方にそうしたものを感じる機会が多かったように思います。そして後になってから、それはかつて日本や日本人が大切にしていた、美しい文化や生活様式の名残なのだと気づきます。

　思えば中学3年の修学旅行で初めて京都に訪れたとき、なぜか懐かしい気持ちになり、ここに住みたいと強く思ったのも、かつて日本にあった美しさの残像を京都のまちから感じ取っていたのかもしれません。そして、こうした失われつつある美しさや価値を、いかに未来に継承していくか、という問いは、今の研究関心や問題意識にもつながっています。

■ 農村に住んでみて気づくこと

研究を進める上で、私が大事にしていることの1つに、実践と実体験があります。頭で理解できる知識と、身をもって体感している知識には、やはり大きな違いがあると感じるからです。

研究を始めるまで農業や農村に縁のなかった私は、博士課程に進むにあたり、実際に農村に住んでみることを強く望むようになりました。その後、兵庫県養父市の山奥で、空き家となっていた築100年を超える家を借りて住むことになり、実際に生活する中で交通の問題を切実に感じることになります。

それまでも農村の課題として、頭では知らなかったわけではない交通の問題が、身をもって切実に感じられる思いがしました。自分で車の運転ができなくなることで、生活が立ち行かなくなるのが今の農村の現状です。住み続けたいと思う高齢の人たちが、移動が困難になることを理由に住み慣れた地域を離れざるを得ない現実を前に、どうにかならないのかと焦りました。そして、このことは私がたまたま移り住んだこの地域に特有の課題ではなく、全国中山間地域に共通する課題です。

地域に愛着を持ち、里山の暮らしや景観を守ってきた人たちが住み続けられなくなることで、家や田畑や山林の荒廃がいっそう進むこと、農村に息づく文化や伝統行事、慣習が途絶えてしまうこと、農村地域が抱えているといわれる多くの課題の根底に、暮らしの足の問題があるように感じました。

まだまだ答えの出ない問いですが、調べていく中で、そして実際に地域の方々と暮らしの足を創るための実践活動[1, 2]に取り組む中で、いくつかわかったこと[3, 4]もあります。紙幅の都合で内容まで紹介しきれませんが、ご関心の方は末尾に記載の文献をご覧いただければ幸いです。

■ 失われていく棚田や在来種

山間部では、はっと息を呑むような景色に出くわすことがあります。その1つが棚田です。とりわけ水張を終えた5月頃、段々と連なる澄

み渡った水面を臨めば、その美しさに見惚れてしまいます。

　そして、こうした棚田も失われていくものの1つです。生産性が低く、深刻な後継者不足で担い手がいなくなっています。こうした課題を抱える中山間地域も多く、オーナー制度や観光資源化等、様々な実践が各地で進められています。

　そうした中で、新たな担い手として企業が参入した棚田の再生事例や維持に向けた取組に注目し、そのための要件[5]や方策についての研究を進めています。田として維持することが困難な場合には、畜産農家と連携し牛を放牧して維持する可能性等も検討しており、そのための条件や体制[6]についての研究も進めています（写真1）。重要なことは、棚田を守るために、できることをしようと思う人たちが、そこにいることです。詳しい内容については当該文献を参照ください。

　在来種もまた、消えゆくものの1つです。今では見ることも少なくなりましたが、畦豆といってかつては田んぼの畦に大豆や小豆が植えられていました。毎年種取りされ、世代を越えて受け継がれることで、元の形質が同じであっても、その土地の気候や風土に合った独自の種（在来種）へと変化します。すでに多くが消えゆく中にありますが、大豆やサトイモは種と食用部が同じであるため人知れず残っていることが多く、近年再発掘され在来種として登録された種もあります[7,8]。

　そのため、小学校の環境学習等でお話させていただく際にはこのことも伝え、おじいちゃんやおばあちゃんで種取りをしている人がいれば教えてほしいと呼び

写真1　放棄地となった棚田での放牧のようす（香美町）

写真2　様々な大豆に興味津々の小学3年生（小野小学校）

かけています（写真2）。そうしたこともあり、地元で大豆を何代にもわたり種取りしている人が県内でも何人か見つかりました。

今の価値基準・判断で未来のポテンシャル（可能性）を損なってはいけない。いま失われつつある、そしてすでに失われてしまったものの価値は、未来にきっと価値を持ち、そして一度失われれば取り返しがつかない。今を生きる私たちにできること、やるべきことは何か。そんなことを信じながら、日々悩んでおります。

一方で、持続可能性や循環型社会への国際的な関心が高まる中、そうした価値は少しずつ見直されてきているようにも感じられます。このことは、1つの希望です。

■ 身近な実践としてできること

先ほどから失われてしまったと嘆いていますが、嘆いているばかりでは仕方ありません。身近な実践の一例としては、先に述べた古い家を住み継ぐことです。厳密に何年前に建てられた家かは判明しないのですが、柱も立派で趣きがあり、建具の意匠等も美しく、空き家となっていたのが信じられないほど良い家です。しかし家は人が住まなくなると、すぐに朽ちてしまいます。ここに住みながら、楽しく快適に暮らせるようにすること。古い家は、雨漏りがしたり床や天井が抜けたりと大変です。言うは易しとならぬよう、実体験を通じて豊かな暮らしを体現していくことも1つの研究と思っています（写真3）。

174

なんだ、と思うかもしれません。しかし、足の問題が解消し、余る空き家や空き施設が有効かつ快適に活用できるとなれば、農村こそが豊かで快適な生活空間だと気づいてしまう人が一気に増えるのではないか、と妄想

写真3　改装した室内で物置部屋に眠る古いいすをリメイクするようす

し、密かにわくわくしているのです。

■ おわりに

　本稿は、具体的な研究の中身や得られた知見の紹介・解説というよりも、研究を進める上での動機や姿勢、問題意識といった内容を中心にまとめました。ひとつひとつの研究上の成果を紹介するよりも、なぜこうした研究や実践に取組んでいるのかを紹介するほうが、このシリーズにふさわしいと考えたためです。特に私の場合、一見するとバラバラの研究テーマに取組んでいるのでなおさらです。前者のような内容を期待して最後まで読んでいただいた方にとっては、いささか肩透かしであったかもしれません。

　改めて表題をみても、研究を進める上で、ここでいう里山が持つ価値や美しさをどう評価するか、という視点も重要です。むしろ、この価値や美しさをどう定式化し、方法論としてそれをいかに保全なり継承なりするか、を定めなければ学術上成立しない問いです。しかし、重要なのはわかるのですが、どうも私は身が入りません。もちろん、農業・農村のもつ多面的機能や価値、生態系サービス等と守るべき理由をあてがうことはできます。

しかしそうではなく、自然を身近に感じることで生まれる生活や暮らしのリズム、四季や生命のサイクルといったものの中に感ずる美しさを大切に、まだこの世界に生まれぬ次代やその先の子たちにまで、その美しさや価値を共有したいのです。

　冒頭に、農村計画は望ましい農村のあり方（未来）を展望し、実現に向けた方法を解明するための学問と述べました。私はこのことを「宇宙に行くこと」とそのためのアプローチにたとえることがあります。

　農村活性化や地域づくりにおける優良事例や成功事例といわれる取組や、そこでのリーダー的な人物の言動に注目し、他地域への応用をはかるアプローチは、「宇宙に行く」という目的に対して宇宙飛行士を育てるような発想であると考えています。過酷な状況下で宇宙飛行士に求められる体力、健康な身体および精神、教養、経験、語学コミュニケーション力等といった備えるべき要件を整理し、育成をはかるといったアプローチが、地域リーダーや推進役の持つ素養や条件を解明し、他地域への適用やそうした人材の育成をはかるといったアプローチであることのアナロジーとしてです。

　一方で、「誰でも宇宙に行くことができる宇宙船を開発する」というのが私の研究アプローチです。高齢者や身体の不自由な人であっても問題なく宇宙に行くことができる宇宙船の開発を目指す発想、本論でいえば、どんな条件の地域であってもそれぞれの地域が持つ美しさや価値を次代につなげていくことができる（もちろん、やろうと思えば）ようなしくみを開発する、これこそが必要なアプローチであると考えています。

　ですが、私一人でできることには限りがあります。そうした思いから、これまで、そしてこれからも研究に取り組んでいるということを知ってもらい、ともに悩み考え実践する仲間が増えていくことを願うばかりです。

〈引用文献〉
1) 京都新聞　丹波版（2021.3.29 朝刊）「住民同士送迎サービス検討」
2) 京都新聞　丹波版（2021.5.10 朝刊）「住民ハイヤー」
3) 衛藤彬史（2022）交通不便地域での高齢ドライバーおよび非免許保有者の移動実態と望ましい外出支援策の検討．農林業問題研究，56（2）：62-69.
4) 衛藤彬史（2021）配車システムを用いた住民主体交通の導入に適する地域条件と運営課題．兵庫自治学，27：42-47.
5) 衛藤彬史・衣笠智子・安田公治（2021）中山間地域での企業参入による経営耕地面積の拡大要件―兵庫県養父市における農外参入企業 11 社への聞き取り調査より―．農林業問題研究，57（4）：144-151.
6) 衛藤彬史（2022）新たな担い手との連携による中山間地域農業の維持システム．北川太一・伊庭治彦・三石誠司・安藤光義編「食と地域を支える―農業ビジネスの新しいかたち―」．農業と経済，英明企画編集，79-87.
7) ひょうごの在来種保存会（2020）八鹿浅黄大豆．ひょうごの在来種保存会通信 27 号，3-5.
8) ひょうごの在来種保存会（2023）篠山の不来坂吉良大豆．ひょうごの在来種保存会通信 29 号，5-6.

第 5 章

未来につなぐ
貴重な自然環境

地域の自然に配慮した緑化のしくみを目指して

橋本 佳延

■ 残したい身近な森や草原の姿

　神戸大学植生学研究室に在籍していた 1999 年から 2001 年の 3 年間、私は、兵庫県立人と自然の博物館（以下、ひとはく）が中心となり実施する兵庫県全域の植生を網羅的に記録するプロジェクトに調査補助者として参加し、様々なタイプの植生を見聞する機会を得ました。氷ノ山のブナ林や社寺の敷地で守られてきた照葉樹林、シオジなどの優占する渓谷林、サギソウやトキソウなどの生える湿地、河口部に広がる塩湿地、開発の手が及んでいない海岸など、兵庫県には自然性の高い植生がたくさんあります。また、里山に広がるコナラやアカマツを主体とした二次林、堤防や畦畔の法面に広がるチガヤやススキを主体とする刈り取り草地、街中を流れる大規模河川の河川植生といった人との関わりの強い植

写真 1　兵庫県でみられる多様な植生の姿
兵庫県には高山帯はないものの、ブナ自然林や湿地、海岸植生などの自然性の高いものから、里山、火入れ草原、畦畔法面、河川敷など人との関わりの深いものまでみられる。

生は各地でみられ、兵庫県の植生は非常に変化に富んでいます（写真1）。

　私はこの経験を通じて、多様な在来植物が各々好適な環境に生育するために特徴的な種組成をもつ植生が成立することへの理解を深め、これらを身近なものとして残していきたいという思いを強くしました。

■ 人の関わり方で姿が変わる身近な自然

　自然性の高い植生は多くの人を魅了し、研究対象として選ばれる機会も多いものです。しかし、私は身近な植生の方に心を惹かれます。身近な植生は人の営みの影響を強く受けており、その様子は人との関わり方によって大きく変化するからです。

　まず、人の関わりが弱くなることで生じる変化があります。例えば、兵庫県南部のコナラやアベマキが優占する夏緑樹林型の里山では、管理が放棄されることで植生遷移が進み、常緑樹が繁茂して林内が暗くなり植物の多様性が低下しています。刈り取りや火入れによって維持されるススキの草原でも、人の関わりがなくなると、ネザサなどの排他的な植物に置き換わったり、樹林化が進んだりして、草原特有の植物の多様性が失われます。人の関わりが弱くなった早い段階であれば、里山における常緑樹の選択的除伐や草原での刈り取りなどを再開することで種多様性をある程度回復させることができます。ひとはくに隣接する深田公園内での里山管理を再開した実験[1]や、東お多福山草原での刈り取り管理再開の効果を検証した研究[2]で

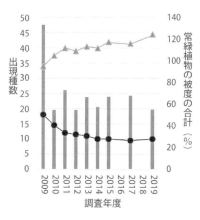

図1　ひとはくの管理する里山林（通称：生物多様性の森）における管理再開後植物種数の変化

林内を暗くする常緑植物を間伐することで、夏緑植物の種数が緩やかに回復する。

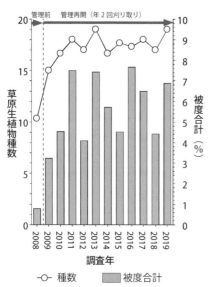

図2 東お多福山草原におけるササ刈りの再開による草原生植物の種数および被度の変化

管理開始前の2008年に比べ、種数、被度ともに大幅に増加し、管理の継続により、その状態が維持されることがわかる。

は、一定の回復が見込めることが実証されています（図1、2）。

一方、人の関わりが強くなることで生じる変化もあります。これには、植生の成立する土地を削って裸地にしてしまうことや、周辺が開発により都市化しその植生をとりまく環境が変化してしまうこと、人の踏みつけや刈り取り頻度が高くなることで植生の一部が衰退することなどが含まれます。このような強い影響を受けた場所では、本来その土地に生育していなかった植物、つまり外来植物が入り込む余地や機会がうまれます。

■ 身近にある厄介な外来植物

日本では、現在、1,200種類を超える外来植物が分布しています[3]。都市に暮らす私たちにとっては、外来植物は身近な存在であり、今や子どもたちの多くはその姿を原体験として心に刻んでいることでしょう。「外来種＝悪」とステレオタイプに報じられることが多いですが、外来植物の大半は、日本の生物多様性をひどく脅かすことはないとされています。しかし全く問題がないかというとそうではなく、その約1割に相当するものは日本の生態系のバランスを崩したり、在来種の生存を困難にしたり、人々の健康を害したりする侵略的なふるまいをすると考えられています。私たちは、種ごとの特徴に応じて外来植物と関わっていく必要があります。

外来植物の生物多様性への影響には様々なものがあり、①在来種の個体群の遺伝的な多様性を失わせたり、②地域の植物相の種構成や他の生

物との種間関係を変化させたり、③地域固有の植生景観を失わせたりするものが知られています。①の例には、日本在来のタンポポと外来のセイヨウタンポポの間に雑種が生じ、それらが自然界に広く分布を広げることで、在来タンポポの遺伝

写真2 侵略的な外来植物であるアレチウリ *Sicyos angulatus*
兵庫県では河川敷で優占し、在来植物の生育環境を奪っている。

的な多様性を撹乱している事例があります[4]。②の例には、一級河川（国土交通省が管理する河川）の植物相に占める外来種の割合はもっとも高いところで31.7％に上ること[5]や、河川敷に侵入したアレチウリ（アメリカ原産のウリ科の一年草）が優占し植物の多様性を低下させた事例[6]などがあります（写真2）。③の例には、一級河川の河川敷に占める面積割合は平均で約17％であり、50％以上が外来植物で覆われている河川も複数存在する現状があり[7]、かつての日本の植生景観が保たれた河川を見ることが難しくなっていることなどが挙げられます。

■ 一度広がった外来植物は容易に取り除けない

では、問題を引き起こしている外来植物はどうして日本国内で分布を広げているのでしょうか。これらの中には、私たちが「意図的に持ち込んだものではない」ものも含まれていますが、多くは私たちが何らかの目的で日本に持ち込んだものです。私が研究対象としたトウネズミモチ（中国原産の照葉樹）は、公害に耐える優秀な緑化樹木として高度成長期に日本各地で大量に植栽されてきました[8]。人間の都合で多用された外来植物が、野外に植えられたり、植えられた場所から種子などが自然

の作用で運ばれて広がったりした結果、地域での生物多様性を失いかねない状況が生まれているのです。

　侵略性の高い外来植物の影響は、その生命力の高さゆえに、日本の自然の営みに任せているだけでは排除することはできません。例えば、兵庫県南東部を流れる猪名川の河川敷に定着したトウネズミモチの個体群は、その河川の記録史上でもっとも大きな出水を経験しても消失しませんでした[9]。

　人の手によって持ち込まれた侵略的な外来植物を根絶するためには、人の手によって取り除くしかありませんが、その道は険しいです。植物は動物と違い自発的に移動できませんので、化学物質などを使って誘引し一網打尽にすることは困難です。また、刈り取り、伐採、抜根などで外来植物の株を取り除いたり、除草剤で枯らしたりしても、それらが実らせた種子は動物や風や水の流れで運ばれて方々に広がり、種類によっては土の中で長い年月眠り続けることができます。野外に一度広がった外来植物を取り除くことは容易ではないのです。

　私は外来植物の一連の研究を通して、新たな侵略的外来植物を生み出さないようにするためには、根本的にはそれらを植えなくてもすむ社会的な仕組みや価値観の醸成が不可欠との思いを強くしました。

■ その地域にあるものを使う〜地域性種苗による緑化〜

　現在、根本的な取り組みとして重視しているのが、地域性種苗の利用促進です。地域性種苗とは、植える場所と同じ地域で生育している在来植物の個体に由来する種子から栽培・育成した苗をさします。外来植物の代替物という消極的な理由ではなく、その土地の自然環境、生物多様性に調和しているという優れた機能を積極的に評価し、その利用を提案しています。

　「在来植物であれば生物多様性に影響がない」というわけではありません。例えば、北海道や沖縄の野生に由来する植物を兵庫県に持ち込んだ場合、それが兵庫県にもともと生育していない種であれば外来植物と

同じ問題が発生します。共通する種であれば、地域個体群の遺伝的な特徴が乱される危険性を帯びています。自由に移動させても問題のない地理的範囲は種ごとに異なっていることがこれまでの研究で明らかになっています [10] ので、「植える場所からできるだけ近いところに生育している植物を使う」という原則を守ることが、地域の生物多様性を保全することにつながります。緑化植物の地産地消、というと伝わりやすいかもしれません。

　ひとはくでは、2000 年代から地域性種苗を用いた緑化に取り組み、野生植物の栽培・植栽のノウハウを蓄積してきました。また、そのノウハウをもとに尼崎 21 世紀の森における地域性種苗による森づくり（中瀬 勲 館長、服部 保 兵庫県立大学 名誉教授が深く関与）や、複数の企業に対して社用地での地域性種苗緑化に関する支援を行ってきました [11]。当館が関わったもの以外にも、地域性種苗を用いた緑化事例は全国で少しずつ増えており、国内での地域性種苗の栽培や植栽の技術は確立しつつあります。ただし、これらの多くは、自治体の実験的な施策や企業の環境 CSR 活動の一環として実施されている傾向にあり、一般的な事業にまで広く普及するには至っていません。

■ 地域性種苗の利用しやすい社会を目指す～種苗生産・流通、設計、施工の過程がつながる仕組みの模索～

　現在の地域性種苗による緑化で用いる種苗は注文生産が主流であり、種子採集から植栽可能なサイズにまで地域性種苗を育成するには草本種で 1 ～ 2 年、樹木種だと 2 年以上はかかります（写真 3）。そのため計画から緑化施工までに時間的余裕がなければ、地域性種苗を用いた緑化法を選択できません。

　緑化を行う立場からは、短い工期で緑化を仕上げられるよう、ほしいタイミングで必要な種類・量をできるだけ低コストで種苗を入手できることが望ましいです。一方、緑化種苗を育てる立場では、時間と費用があれば種苗の注文生産を引き受けられるものの、「いつでも多様な種

写真3　ひとはくのジーンファームにて栽培・育成される兵庫県産の地域性種苗

類・産地の地域性種苗を出荷できる」状態でストックするのは、安定した需要が見込めなければ経営上のリスクになりかねません。このような立場の違いにより、「供給が安定していないから利用しない」「需要が見込めないから生産できない」の踊り場がうまれ、地域性種苗による緑化の普及が停滞しているのが現状といえます。この状況を打破するには、事業立案、設計、種苗生産・流通、施工など様々なプロセスに関わる、産・官・学・民の立場を理解して、協働する体制を整えることが望まれます。

　2020年はコロナ禍に苦しめられた一年ではありましたが、緑化に関わる様々な立場の人々と意見交換を行って、緑化にまつわる様々な課題を抽出してきました。そして、地域性種苗による緑化を促進するためには、阪神間などの比較的小さな商圏で需給バランスを整えられるような仕組みの構築という、生態学だけでは解決できない課題にチャレンジする方向性が見いだされました。

　近年、SDGsやグリーンインフラなど、生物多様性に配慮した取り組みを後押しする社会目標や環境技術に注目が集まっており、地域性種苗による緑化を求める声は今後も増えていくことが予想されます。これらの声に応えられるよう、この緑化法が選ばれやすい社会の構築を目指していきたいです。

〈引用文献〉

1) 橋本佳延（2015）生物多様性豊かな里山林をめざして〜ひとはく生物多様性の森における管理の生物多様性効果の検証〜．兵庫県立人と自然の博物館，4p.

2) 橋本佳延，石丸京子，黒田有寿茂，増永滋生，横田潤一郎（2012）ササ優占型に遷移した草原における刈り取りによる草原生植物種多様性の回復効果．ランドスケープ研究（オンライン論文集）5, 69-76.

3) 清水建美（編）（2003）日本の帰化植物．平凡社，337p.

4) タンポポ調査・西日本実行委員会（編）（2016）タンポポ調査・西日本2015調査報告書．タンポポ調査・西日本実行委員会，174p.

5) 外来種影響 対策研究会（2001）河川における外来種対策に向けて［案］．リバーフロント整備センター，124p.

6) 橋本佳延（2010）都市河川におけるアレチウリ群落での刈り取りが種組成・種多様性に与える影響．ランドスケープ研究（オンライン論文集）3, 32-38.

7) 宮脇成生・鷲谷いづみ（2004）生物多様性保全のための河川における侵略的外来植物の管理．応用生態工学 6 (2), 195-209.

8) 橋本佳延，服部 保，石田弘明，戸井可名子（2005）国内における外来樹木トウネズミモチの野外逸出．ランドスケープ研究68, 713-716.

9) 橋本佳延，中村愛貴，武田義明（2007）洪水が都市河川に侵入した外来樹木トウネズミモチ（*Ligustrum lucidum* Ait.）の分布拡大に与える影響―兵庫県猪名川河川敷における一事例―．保全生態学研究12 (2), 103-111.

10) 津村義彦，陶山 佳久（2015）地図でわかる樹木の種苗移動ガイドライン．文一総合出版社，176p.

11) 橋本佳延，石田弘明，黒田有寿茂，藤井俊夫，中濱直之（2021）ジーンファームを活用した生物多様性を育む環境づくり．兵庫県立人と自然の博物館，8p.

日本を代表する森林、照葉樹林の保全に向けて

石田 弘明

　私は、大学4年生のころから照葉樹林の研究に取り組んでいます。亜熱帯・暖温帯の多雨地域に分布する常緑広葉樹林を照葉樹林といいます。照葉樹林は日本を代表する森林の一つで、縄文時代晩期の約3,000年前には東北地方以西の低地帯を広く覆っていました。しかし、今では自然性の高い照葉樹林はごくわずかしかみられません。全盛期の面積の0.06％程度しか残っていないといわれるほどです。どうしてこのようになってしまったのでしょうか？　その理由は、数千年にわたる様々な人間活動によって破壊されてしまったからです。

　わずかに残された照葉樹林を保全することはとても重要です。しかし、残念なことに照葉樹林の減少は現在も各地で進んでいます。都市化の進展などに伴って、照葉樹林は破壊される傾向にあるからです。完全に破壊されて消滅してしまったものも少なくありません。その上、近年はニホンジカによる照葉樹林の被害も多くの地域で発生しています。

写真1　自然性の高い照葉樹林（撮影地は宮崎県綾町）

このような危機的状況にある照葉樹林をできるかぎり未来へ継承したいという思いから、私は「照葉樹林の保全に向けた研究」をライフワークにすることにしました。ここでは、私がこれまでに行ってきた研究を紹介し

たいと思います。

■ 鎮守の森

写真2　鎮守の森として残されている照葉樹林（撮影地は兵庫県南あわじ市）

　離島や九州などには自然性の高い照葉樹林がまとまった面積で分布しています（写真1）。しかし、その他の地域では、断片・孤立化した小面積の照葉樹林が「鎮守の森」として残されているにすぎません（写真2）。私は、断片・孤立化した照葉樹林の実態の解明とその保全を図るために、宮崎県、長崎県対馬、兵庫県、京都府の合計103地点で、鎮守の森として残されている様々な面積の照葉樹林を対象に、そのフロラ（植物相）、面積、立地条件などを調べました。

　フロラの調査では、林内で発見した植物の名前をひたすら調査用紙に記録していきます。とてもシンプルな方法ですが、すべての植物の名前を記録するためには林内をくまなく歩き回る必要があるので、広い樹林では非常に多くの時間がかかります。また、背の高い木やそれに着生している植物は、葉を直接観察することができないので、名前を調べるのは大変です。高倍率の双眼鏡を使って葉を観察したり、落ち葉を探したり、落ち葉がないときは石や枝を投げて葉を落としたりします。大きさが数cm以下の微小な植物も調べる必要があるので、一つの樹林の調査に数日を要したこともあります。

　森の中をひたすら歩き回ってすべての植物の名前を記録するという調査には、かなりの忍耐が必要でした。しかし、苦労して集めた103地点のデータを解析すると、照葉樹林の面積と照葉樹林を構成する植物の

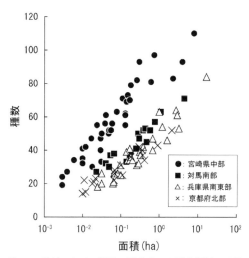

図1 4地域における断片・孤立化した照葉樹林の面積と照葉樹林構成種数の関係

種数の間には予想以上に密接な関係があることがわかりました（図1）。この関係は地域の違いを超えた一般的な傾向であることも判明しました。つまり、鎮守の森として残されている照葉樹林の種多様性は面積によって強く規定されていたのです。

では、個々の種の分布と面積の間にはどのような関係があるのでしょうか？すべての種についてそれを調べると、驚いたことに大面積の樹林に偏って分布している種が数多くみられました。また、絶滅危惧種に指定されている種のほとんどは、このような大面積依存型の種でした。これらの事実は、照葉樹林の種多様性を維持するためには面積の確保が不可欠であることを示しています。

■ 屋久島、黒島、口之島、中之島の照葉樹林

大隅諸島とトカラ列島は九州と奄美大島の間に位置する島嶼群で、気候的には暖温帯から亜熱帯への移行帯に位置しています。人間活動が活発化する前は、両島嶼群に属する多くの島が照葉樹林に覆われていたと推察されます。しかし現在、高い自然性を有する照葉樹林は屋久島、黒島、口之島、中之島など一部の島でしかみられません。大隅諸島・トカラ列島特有の生態系と生物多様性を未来へ継承するためには、こうした照葉樹林を適切に保全することが必要です。

世界自然遺産の登録地である屋久島では、自然性の高い照葉樹林を対象とした調査が古くから行われており、その種組成や種多様性などの特

徴が明らかにされています。しかし、黒島、口之島、中之島では照葉樹林の調査はわずかしかなく、屋久島、黒島、口之島、中之島に分布する照葉樹林の種組成・種多様性の相違やその要因などはほとんどわかっていませんでした。これらの島々はそれぞれ異なるフロラを有しており、このことが4島に分布する照葉樹林の種組成・種多様性に何らかの影響を与えている可能性が考えられます。しかし、このような観点からの研究もまったくありませんでした。

そこで私は、屋久島、黒島、口之島、中之島の低地部で自然性の高い照葉樹林の植生調査を行うと共に、各島のフロラに関する文献調査を実施しました。そして、これらの調査で得られたデータと気候条件・立地条件に関するデータをもとに、4島に分布する照葉樹林の種組成・種多様性の相違とその主な要因について検討しました。

植生調査の方法は次のとおりです。まず、林内に100㎡（10m×10m）の調査区を複数設けて、調査区内の樹林の階層を5層または4層に区分します。次に、これらの階層ごとに全維管束植物の出現種のリストを作り、各出現種の被度（％）を測定します。林冠を構成する樹木については胸高周囲も測定します。さらに、調査地の立地条件として緯度・経度、海抜、傾斜角度、斜面方位などを記録します。このように植生調査はとても手間のかかる調査です。一つの調査区に2時間以上かかることも少なくありません。それでも合計56個の調査区を設置して、どうにかこうにか調査を終えることができました。

このようにして得られた貴重なデータを慎重に解析した結果、照葉樹林の種組成は4島の間で明らかに異なっており、その相違は屋久島と他の3島との間で特に大きいことが確認されました。種多様性は屋久島がもっとも高く、他の3島との間に明らかな差がみられました。では、なぜこのような違いが生まれたのでしょうか？　様々な要因を検討したところ、種組成・種多様性の相違には島全体のフロラと潮風条件（潮風の影響の強弱）が大きく関係していることがわかりました。

■ 屋久島の照葉二次林

　屋久島には照葉樹が優占する二次林（以下、照葉二次林）が、比較的まとまった面積で数多く分布しています。照葉二次林の多くは、かつて里山林として利用・管理されていましたが、1960年代以降は放置されたままです。屋久島における照葉樹林フロラの維持と照葉樹林生態系の復元を図るためには、放置されている照葉二次林の保全とその自然性の向上が不可欠です。しかし、屋久島に分布する照葉二次林の研究はわずかしかなく、その自然性の程度はよくわかっていませんでした。また、屋久島では近年、ニホンジカの亜種であるヤクシカの増加とそれに伴う森林生態系の衰退（写真3）が大きな問題となっていました。

　屋久島の照葉二次林を適切かつ効果的に保全するためには、まず自然性の程度とシカによる被害の実態を明らかにする必要があります。そこで私は、シカの生息密度（以下、シカ密度）が異なる様々な場所で照葉二次林の植生調査を行いました。また、照葉二次林の自然性の程度を明らかにするために、そのデータを「屋久島に分布する自然性の高い照葉樹林」（以下、照葉自然林）のデータと比較しました。調査区数は最終的に133区となりましたが、これほど多くのデータを1回の調査で得ることは不可能なので、調査の開始以降は毎年のように屋久島を訪れ、少しずつデータを集めていきました。その結果、調査の完了までに10年、論文の出版までに12年の歳月を要し

写真3　ヤクシカの採食圧によって衰退した照葉二次林（撮影地は鹿児島県屋久島）

ました。

　大変苦労して入手した
データをもとに、ともにシ
カ密度の低い照葉二次林と
照葉自然林を比較したとこ
ろ、前者は後者よりも種組
成が単純で種多様性も非常
に低いことがわかりました。
シカ密度の低い照葉二次林
とシカ密度の高い照葉二次
林の比較からは、照葉二次
林の種多様性はシカの採食
圧によって大きく低下して
いることが明らかになりました（図2）。

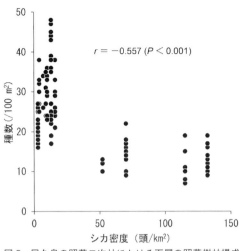

$r = -0.557 \ (P < 0.001)$

図2　屋久島の照葉二次林における下層の照葉樹林構成
　　　種数とシカ密度の関係（図中の r は Spearman の
　　　順位相関係数）

　これらの結果は、屋久島の照葉二次林の自然性が照葉自然林のそれと
比べて格段に低いこと、また、シカの強い採食圧がその自然性をさらに
低下させていることを示しています。

■ 口永良部島の照葉二次林

　屋久島の西方約 12km に位置する口永良部島は、屋久島国立公園お
よびユネスコエコパークに指定されている火山島です。口永良部島の火
山活動は現在も続いています。2015 年には爆発的な噴火が発生し、す
べての住民が島外へ避難する事態となりました。

　このような火山活動にも関わらず、口永良部島の大部分は森林に覆わ
れています。これらの森林は複数のタイプに区分できますが、特に分布
面積の広いタイプは照葉二次林です。照葉二次林には絶滅危惧種を含む
多種多様な生物が生育・生息しているので、この森林は同島の生物多様
性を支える極めて重要な存在であるといえます。

　火山島である口永良部島の表層地質は、大部分が安山岩質の溶岩原と

火山砕屑物（火山灰、スコリア、軽石）の堆積地となっています。溶岩原には露岩が数多く分布しています。このような露岩の高さは数十 cm から数 m と様々で、中には 6m を超えるようなものもあります。照葉二次林は溶岩原と火山砕屑物堆積地の両方に分布していますが、同島の照葉二次林を対象とした調査はわずかしか行われていないため、表層地質の違いや露岩の多寡が照葉二次林の種組成・種多様性にどのように影響しているのかは不明でした。そこで私は、口永良部島の照葉二次林を調査し、その種組成・種多様性と表層地質、特に露岩の多寡との関係について検討してみました。

　本研究では、照葉二次林に 41 の調査区を設けて植生調査を行いました。その結果、照葉二次林の種組成は溶岩原と火山砕屑物堆積地の間で大きく異なることが明らかになりました。種多様性は、溶岩原の方が火山砕屑物堆積地よりも高い傾向が認められました。これらのことから、口永良部島では地質条件、特に露岩の多寡が照葉二次林の種組成・種多様性に大きな影響を及ぼしており、溶岩原が照葉二次林の種多様性の保全にとって極めて重要な立地であることがわかりました。

■ これからも

　私の専門分野は、植生学をベースにした保全生態学です。日本における保全生態学の歴史はまだまだ浅く、その研究は発展途上の段階にあるといえます。しかし、森林破壊、種の絶滅、生物多様性の低下、生態系の衰退といった環境問題の解決には保全生態学の研究が不可欠です。私はこれからもこの分野の研究に力を注ぎ、上述のような研究を進めることによって、人と自然が共生する持続可能な社会の実現にできるかぎり貢献したいと考えています。

〈引用文献〉
1）石田弘明（2017）森林のサイズと生物多様性. 福嶋司（編著）,「図説 日本の植生 第 2

版」，160-161，朝倉書店，東京.

2）石田弘明（2020）屋久島，黒島，口之島，中之島に分布するシイ型照葉樹林の種組成および種多様性．植生学会誌，37，85-99.
3）石田弘明・服部保・黒田有寿茂・橋本佳延・岩切康二（2012）屋久島低地部の照葉二次林に対するヤクシカの影響とその樹林の自然性評価．植生学会誌，29，49-72.
4）石田弘明・矢倉資喜・黒田有寿茂・岩切康二（2018）口永良部島における照葉樹林の種組成，種多様性と表層地質の関係．植生学会誌，35，35-46.

海浜植物ウンランと海辺の自然の保全

黒田 有寿茂

■ はじめに

　砂浜、砂丘など海岸の砂地に生育する植物を海浜植物といいます。私は人と自然の博物館に来てからまもなく、ウンランという海浜植物の保全に関わることになりました（写真 1）。ウンランは東アジアからロシアにかけて分布する多年生の海浜植物です。国内では北海道や本州の日本海沿岸でよくみられ、太平洋沿岸でも関東以北では連続的に分布しています。しかし、分布の南限にあたる関東以西の太平洋沿岸や瀬戸内海沿岸では非常にまれで、生育の確認されている県の多くで絶滅危惧種に指定されています。

　兵庫県のレッドリストでも、ウンランはもっとも絶滅のおそれの高いAランクに位置づけられています。このような状況から、野生植物の保全を目的に設置された博物館の栽培施設（ジーンファーム）では、兵庫県産のウンランの系統保存を行っています。また、生育地の保全や施設での安定的な栽培に向け、生育環境や生態的な特徴を明らかにするための調査を進めてきました。ここではウンランや海浜植生の解説と合わせ、これまでの調査でわかってきたことなどご紹介できればと思います。

写真 1　海岸砂地に生育するウンラン

■ ウンランの名前と形

写真2　ウンランに訪花するトラマルハナバチ

　ウンランは漢字で書くと「海蘭」です。これは海辺に生えるランという意味ですが、ウンランはラン科の植物ではなく、オオバコ科の植物です。黄白色のきれいな花を咲かせることから、このような素敵な名前がついたのでしょう。

　花は大きく上側と下側に分かれています。これらは中ほどでぴったり合わさっているため、花の奥は通常見えません。その手前の、下側の盛り上がった部分は、よく目立つ黄橙色（おうとうしょく）をしています。ここにハナバチ類などの昆虫がやってきたとき、隠れていた雄しべが体に触れ、花粉がつくという仕組みになっているようです（写真2）。栽培施設の個体にネット袋をかけ昆虫の訪花を遮ったところ、果実ができなかったことから、自動的な受粉や結実は起こりにくいことがわかりました。ウンランが生育地の砂浜・砂丘で種子をつくり、次の世代に命をつないでいくためには、花粉媒介を助ける昆虫が不可欠なようです。

　花の目立つウンランですが、緑白色の葉もなかなか個性的です。触ってみると肉質で厚みがあり、多肉植物のような雰囲気があります。地上の茎は砂の上を這い（は）ながら、斜めに立ち上がります。地下部がどうなっているか調べるため少し掘ってみたところ、細い根がやや深いところで横に長く伸びており、地上の茎は砂の中でつながり広がっていることが確認できました。これらの特徴は他の海浜植物でもよくみられるもので、表層が乾燥しやすく、砂が動きやすい砂浜・砂丘で生き残るのに有利に働くのでしょう。

■ ウンランの好む場所

　さて、ウンランは砂浜・砂丘に生育しているわけですが、一帯にまんべんなく広がっているというわけではありません。海岸の砂地では、海から内陸に向かうにつれ、潮風、海水のしぶき、砂の動きなどの影響が弱まります。こうした環境の違いに応じて、海浜植生の構成種は、海に近いところと内陸で異なることが知られています。

　そこで、ウンランが海浜植生のどのあたりに生育しているか調べるために、各地でベルトトランセクト調査を行いました。トランセクトは「横断する」という意味で、この調査では、ある方向に向かって、方形区をベルトのように並べて設置し、植物の種類や量を記録していきます。ここでは海から内陸に向かって方形区を設置し、植物の生育状況を調べました（写真3)。その結果、ウンランは海に近すぎず、内陸にも入りすぎない、海浜植生の中間的なエリアに生育していることがわかりました。

写真3　ベルトトランセクト調査のためにひかれた巻尺

■ エコトーンとしての海浜

　陸域や水域、森林や草原など、異なる環境・生態系が接する場所はエコトーンと呼ばれ、そこには移行的な植生がしばしば成立します。海と陸が接する場所にある海浜もエコトーンのひとつです。日本の海浜では多くの場合、海から内陸に向かって植生は草原から小低木林となり、さらに低木林、高木林へと移り変わっていきます。ウンランが生育してい

るのは、この草原のやや後ろから小低木林の前にかけてのエリアです。このエリアは潮風や砂の動きの影響がほどほどに及ぶところで、様々な海浜植物がみられる一方、内

写真4　駐車スペースにより破壊、分断された海浜植生

陸の植物の生育は抑えられるという特徴があります。

　海浜植生はエコトーンに成立する移行的な植生の好例といえます。しかし、その構成種の移り変わりを幅広く観察できる海浜植生は、実際のところあまり残されていません（写真4）。そのほとんどが開発によって縮小しており、特に低木林や高木林とのつながりが保たれた海浜植生は、国内全体をみてもまれになってきています。都市部では海浜植生の全く残っていないところの方が普通です。こういった状況は人間活動の広がりと共にかなり以前から進んできたと思われますが、戦後、特に高度経済成長期以降、より顕著になってきたようです。

　各地の博物館の収蔵庫でウンランの標本を探すと、今ではすっかり開発された阪神間で、1900年代初頭から中頃にかけて採集されたものが見つかります。しかし、この時期を過ぎると標本はみられなくなります。現在、阪神間には海浜植生はほとんど残っておらず、ウンランも分布していません。こうした標本の記録はウンランの消長を示すだけでなく、エコトーンに発達した海浜植生が1900年代の前半までは阪神間にも残されていたこと、そしてその後開発によって失われたことを物語っています。

■ 域内保全と域外保全

　花の説明のところでふれたように、生きものはそれぞれがつながり合い、また環境と相互に影響を及ぼし合いながら、生態系を形成しています。普段気にすることは少ないかもしれませんが、私たちは地球上の様々な生態系から多くの恵みを受け、暮らしています。この生態系のもつ機能と役割を守るという点から、野生の生きものは可能な限り、その生育地・生息地で保全することが望まれます。これを「域内保全」といいます。

　それでは、兵庫県の海浜でウンランの域内保全は可能なのでしょうか。現状をみると厳しそうです。瀬戸内海沿岸では、他の地域も含め個体数は極めて少なく危機的な状況です。また、兵庫県の日本海側は山地が海にせまったところが多く、砂浜・砂丘はもともと多くありません。開発に加え、ウンランの存続には高潮などの自然撹乱（かくらん）も今後より大きく影響してきそうです。実際、わずかに残された生育地が、台風時の大波をまともに受け（写真5）、その後みられなくなってしまったケースがありました。地球温暖化に伴う海面上昇や気候変動、また各地で認められている砂浜・砂丘の減少（海岸浸食）が、海浜植物の絶滅リスクをいっそう高めるのではないかと心配しています。

写真5　波で砂が削られ、地下部の露出したウンラン

　兵庫県のウンランのように、域内保全だけではその存続が危ういと考えられる場合、生育地・生息地以外の場所で保全することも必要となってきます。これを「域外保

全」といいます。

　植物の域外保全には、大きく分けて、個体を栽培して維持する方法と、種子など個体以外を保存して維持する方法の二つがあります。それぞれに利点がありますが、域外保全をより確実で効果的なものとするために、ウンランについてはこの両方を行っています。種子に関しては、アルミパックへの封入処理と低温下での保管によって、少なくとも8年間は発芽能力を維持することがわかりました。長期保存の可能性など、調べなければいけないことはまだたくさんあるのですが、本種の域外保全に向け種子保存の有効性がまず確認できたところです。

■ おわりに

　ウンランの少し心配な状況を中心に解説してきましたが、海浜植物は本来、砂浜・砂丘という過酷な環境で生活しているたくましい生きものです。そのたくましさは適応進化の過程で生まれ、幾多もの世代を経て少しずつ変わりながら、受け継がれてきたものです。そこには私たちの知らない秘密、不思議がまだたくさん隠されていることでしょう。それを明らかにしていくことは、海浜植生や海岸生態系の成り立ち・働きについて理解を深め、より良い保全方法を検討していく際にも役立つと考えられます。今後も調査を進め、セミナーなどでその内容をお伝えできればと思います。

身近な生き物から地域の特徴を知る

鈴木　武

「生物多様性」はそれぞれの「地域の固有性」の反映でもあります。多様な風土をもつ兵庫県には地域の特徴となる生き物が生育していますが、少数の研究者で全体を把握するにはあまりに広域です。ここでは、タンポポ、カタツムリ、ダンゴムシを対象とした市民参加型調査を例に、その手法と得られた成果、特に兵庫の地域の特徴について話題にしたいと思います。

■ 参加型調査の手法の工夫

①対象とする生物の種数

　市民参加型調査では、市民に馴染み深い生き物を扱うとともに、1種ではなく、10種程度を同時に扱うことが重要と考えます（表1）。こうすることによって、分布や生態に特徴がある種が含まれ、また複数の種を知ることで参加者のモチベーションもあがるようです。あわせて、簡便に種類を調べられる資料も配布するようにしました。

対象群と地域	種数/同定	人数/点数	普通種	地域の特徴種
タンポポ 西日本	8種 頭花	9193人 20246点	カンサイタンポポ セイヨウタンポポ	ヤマザトタンポポ（但馬） ロクアイタンポポ（神戸）
カタツムリ 兵庫県	13種 殻/写真	780人 2002点	クチベニマイマイ ナミマイマイ	ハリママイマイ（播磨） コウロマイマイ（但馬）
ダンゴムシ 神戸市周辺	7種 採集個体	10人 1178地点	オカダンゴムシ ワラジムシ	ハナダカダンゴムシ クマワラジムシ

表1　対象とした生物群の特徴とおもな種類

②種の同定

　参加者に種の同定をしてもらうと、誤同定が生じることがあります。例えば、タンポポの場合には、似たようなブタナが総データの数％程度

202

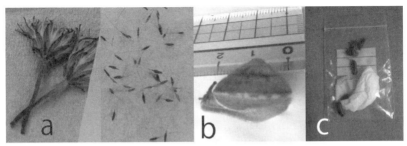

写真1　参加者から送られてきたサンプル
a タンポポの花とタネ　b カタツムリの写真　c ダンゴムシ生体

も混入していたことがありました。

　種の同定を確実にするため、参加者にサンプル、あるいはその写真を
送ってもらい、専門家が同定を行いました。タンポポの場合は、花（頭
花）1個と可能であれば同じ株からタネ（痩果）を採集してもらい、
ティッシュペーパーに包んで、封筒で郵送してもらいました（写真1a）。
到着するころには乾燥し、簡易な標本となっています。

　カタツムリの場合は、生きた個体での収集はしませんでした。なぜな
ら、カタツムリ類の個体数が減少傾向にあるようで、採集による影響を
考慮したからです。また、生きた個体が輸送中に死んでしまうことがあ
ります。その場合はきつい悪臭がでるので、それを避ける意味もありま
す。そこで、殻あるいは写真を送ってもらいました（写真1b）。写真は、
上・下・横・斜め上の4枚の写真を撮ってもらいました。写真のみの
同定が可能か心配はあったのですが、陸貝の専門家2名に同時に見て
もらったところ、9割以上に種名がつきました。

　ダンゴムシの場合は、生きた個体を送ってもらいました（写真1c）。
チャック付ビニール袋に湿らせたティッシュペーパーを少し入れておく
と、1週間程度は生きています。この状態で送ってもらい、同定して標
本としました。

③位置情報の取得

　分布図を作成するためには、従来は地名から地図上にプロットしてい

ました。しかし現在では、GISソフトが普及し、緯度経度の情報があれば、簡単に分布図がつくれるようになりました。緯度経度情報は、参加者に自ら記入いただくのが正確です。スマートフォンやホームページ（国土地理院など）で簡単に取得できるようになっています。

④協力者を増やす

博物館等のホームページ、マスコミへの広報により、多くの人々に情報を流しました。また、市民団体、学校教員、学会等の人的ネットワークを利用し、協力者を募りました。協力者には、サンプルの採集だけでなく、データ処理でも手伝っていただきました。

■ 市民参加型調査の具体的な事例

①タンポポ調査～他府県も含めた広域型

兵庫県では、在来種のカンサイタンポポ（写真2右）と、外来種のセイヨウタンポポ（写真2左）が代表的な種類です。1970年代から都市部ではセイヨウ、郊外ではカンサイが多く、自然度の指標とされてきました。

西日本19府県では、実行委員会形式で、タンポポ調査が5年おきに行われていて、この原稿の執筆時（2019-2021年春）も実施しています[3, 5, 6, 7]。この中で、ヤマザトタンポポ（兵庫県絶滅危惧種）などは標準的な図鑑に掲載されておらず、同定が困難で、どこに生えているか

写真2　セイヨウタンポポ（左）とカンサイタンポポ（右）

もよくわかってい
ませんでした。し
かし、送られてき
た花の花粉を観察
することで、容易
に同定できること
がわかってきまし
た。すると、特徴
的な分布がわかっ
てきました。

　図1にカンサ
イタンポポとヤマ
ザトタンポポの分
布を示しました。
図中の①の太線は
但馬地域の南境で
す。驚くべきこと
に、この線の北側

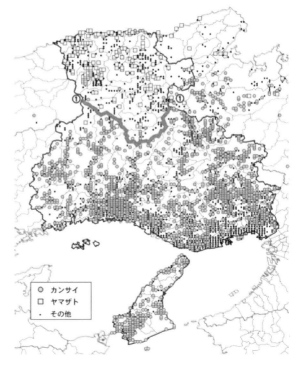

図1　兵庫県および京都府北部におけるカンサイタンポポとヤマザト
　　　タンポポの分布

はヤマザトタンポポ、南側はカンサイタンポポにほぼ分かれており、ヤ
マザトタンポポは但馬地域を特徴づける植物であることが明らかになり
ました[2)]。さらには、西日本19府県のデータから、ヤマザトタンポポ
は山陰地方、四国西部に分布することもわかってきました。

　このほか、県内では、六甲アイランドの巨大なロクアイタンポポ、山
陰海岸のオオクシバタンポポなど正体不明のタンポポも見つかっていま
す。

②カタツムリ調査～兵庫県のみに限定

　「カタツムリ調査・兵庫2008-09」実行委員会として、博物館・学
校・市民団体の協働で行いました[1)]。兵庫県には100種以上の陸貝が

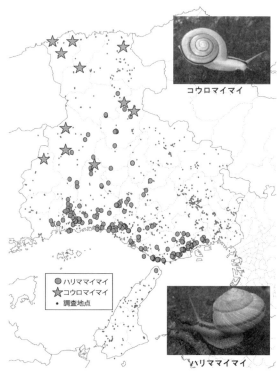
図2　ハリママイマイとコウロマイマイの分布

いますが、このうち中型・大型の13種を調査対象とし、その特徴や調査方法を示した資料を配布しました。2年間で、780名の参加者から2,002件の写真あるいは空になった殻を送ってもらいました。写真は1,119件（55.9％）で、このうち96％は種を同定でき、写真による調査も十分に有効であることがわかりました。一方、宿題として学校で取り組んだ事例ではカタツムリを見つけられない生徒が多く、カタツムリが少なくなっていることが示唆されました。

　この調査で明らかとなった、特徴的な2種の分布を図2に示しました。兵庫県固有種のハリママイマイは播磨地方に広く分布していますが、東限は神戸市東灘区住吉川あたりです。一方で、コウロマイマイは基本的には但馬地域で見つかっており、それぞれの地域を代表するカタツムリといえるでしょう。

③ダンゴムシ調査〜神戸市周辺のみに限定
　オカダンゴムシは普通に見られます。いっぽう、欧州原産のハナダカ

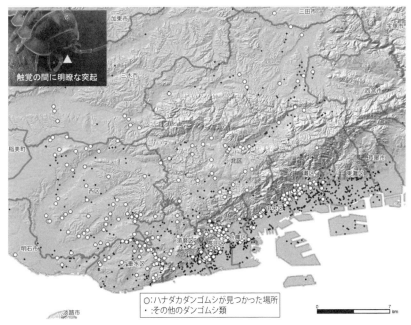

触覚の間に明瞭な突起

○:ハナダカダンゴムシが見つかった場所
・:その他のダンゴムシ類

図3　神戸市周辺のハナダカダンゴムシの分布

ダンゴムシは、1996 年に神戸市北区再度公園から報告があり、その後 2012 年には神戸市の複数箇所で確認されるようになりました。そこで、ハナダカダンゴムシのより詳しい分布を調べるため、関心のある市民 10 名ほどの協力により、神戸市とその周辺域の 1,178 地点を調べました。その結果、286 地点でハナダカダンゴムシを採集・確認しました [4]。これは、国内では例がない、広域で高密度の分布です（図3）。神戸市南部では国道 2 号線より北側に分布しており、環境要因との関連を調べる必要がありそうです。豊岡市・加東市・姫路市・淡路市でもみつかっており、すでに県内には広く分布していることがわかってきました。

■ 今後に向けて

　複数回の調査を行ったタンポポ調査では、都市部で在来種のカンサイタンポポが見つかってきています。繰り返し調査することで、兵庫県の

自然環境の変化をモニタリングできるでしょう。カタツムリとダンゴムシについては、調査からすでにある程度の年数が経っており、再度の調査をしたいものです。

　最後に、今回示したデータは各実行委員会、関係諸機関、そして調査に参加した市民の方々の協力による成果です。改めてお礼申しあげます。

〈引用文献〉
1）カタツムリ調査・兵庫 2008-09 実行委員会（2010）兵庫のカタツムリ．三田市立有馬富士学習センター，16p.
2）鈴木武・菅村定昌・武田義明（2012）兵庫県および京都府北西部の在来タンポポの分布．植物地理・分類 59: 81-87.
3）鈴木武（2013）市民参加調査からわかった西日本のタンポポ．分類 13（1）: 31-35.
4）鈴木武・山本祐衣（2019）神戸市周辺地域における陸生ワラジムシ亜目の分布と環境要因 ―外来種の分布に注目して―．Edaphologia 104: 1-10.
5）タンポポ調査・近畿 2005 実行委員会（2006）タンポポ調査・近畿 2005 調査報告書．タンポポ調査・近畿 2005 実行委員会，69p.
6）タンポポ調査・西日本実行委員会（2011）タンポポ調査・西日本 2010 調査報告書．タンポポ調査・西日本実行委員会，174p.
7）タンポポ調査・西日本実行委員会（2016）タンポポ調査・西日本 2015 調査報告書．タンポポ調査・西日本実行委員会，176p.

海産外来種の複雑な種間関係を紐解く

頼末 武史

■ 海の外来種問題

　2020 年に世界各地の 29 名もの研究者から構成される国際研究グループが発表した論文によると、1965 年以降に海などの水圏生態系では 8.4 日に 1 種類のペースで外来種が発見されています[1]。このような水圏の外来種の大部分はタンカーなどの大型船舶に付着して移動したり、小さなプランクトン幼生がバラスト水という船舶の重しとして使われている海水に混入することで本来の分布域外の地域に侵入し、定着しています。国際貿易のための大型船舶の航行量は 2050 年までに大きく増加すると予測されており、外来種の侵入リスクも大きくなっていく可能性があります[2]。外来種は移入先で在来種と空間や餌資源をめぐる競争など、様々な関わり合いをしています。外来種の生態系への影響を明らかにするには、このような生物間の関わり合いを解明していく必要があります。ここでは私が行った捕食者巻貝が在来種と外来種のフジツボ同士の関係に与える影響を調べた研究の内容[3]とその研究の経緯や今後の展望についてご紹介します。

■ 海産外来種の研究材料としてのフジツボ

　フジツボは岩盤などに固着して生活をしている沿岸域を代表する海洋生物です。フジツボは外来種として分布を拡げている種も多く、日本では 8 種類の外来フジツボが確認されています。これらの外来フジツボが在来種を圧倒している海岸も多くあります。そのため、外来フジツボに関する研究は沿岸生態系への影響を調べる上で欠かせません。加えて多くの外来フジツボは潮間帯と呼ばれる、潮が引いた時に陸地となる場所に生息しています。フジツボは動かない上に潮間帯は潮が引けば歩い

て調査ができるため、モニタリングなどの調査や野外での実験がしやすいという研究上のメリットもあります。

■ 北海道厚岸をフィールドとした共同研究

　共同研究者の Julius Ellrich さんは大西洋でフジツボの捕食者である肉食性巻貝の存在がフジツボの新規加入（ここではフジツボの幼生が岩盤などに固着してある程度成長すること）に与える影響を野外実験で調べていました（例えば引用文献 4）。彼の研究では捕食者巻貝もフジツボも大西洋に元々生息している在来種を対象としていましたが、在来種の捕食者の存在が外来種のフジツボや同じ環境にいる複数種のフジツボ同士の関わりあいにどのような影響を与えているのかはよくわかっていない状況でした。

　2000 年に東北〜北海道南部の太平洋岸で、北米太平洋岸を原産とするキタアメリカフジツボという外来種が発見されました[5]。この時点ですでに在来種を圧倒している海岸も少なくありませんでした。その後、本種は北海道東部まで分布を拡大させています[6]。私は 2013 年〜 2018 年まで北海道東部の厚岸町にある北海道大学・厚岸臨海実験所に所属していました。厚岸の潮間帯ではこのキタアメリカフジツボと在来種のキタイワフジツボが混在していて、餌や空間などの資源をめぐる競争関係にあります（図 1）。2015 年に私が参加した国際学会で Julius Ellrich さんが、捕食者が近くにいるとフジツボの幼生

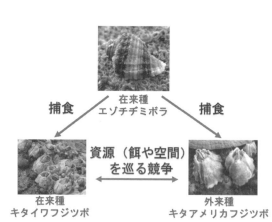

図1　外来種のキタアメリカフジツボと在来種の種間関係
キタアメリカフジツボとキタイワフジツボは餌や空間の資源を巡る競争関係にある。肉食性巻貝であるエゾチヂミボラはフジツボ類の主要な捕食者である。

が（おそらく）その匂いなどを忌避して加入量が減少するという実験結果に関して研究発表を行っていました。彼の研究に興味を持ち、発表後に話しかけたところすぐに意気投合し、彼の実験手法を使って厚岸をフィールドにした共同研究を始めることになりました。具体的には厚岸の代表的な捕食者巻貝（エゾチヂミボラ）がキタアメリカフジツボとキタイワフジツボの競争関係に対してどのような影響を与えているのかを調べることにしました。

■ 捕食者を介した在来フジツボと外来フジツボの関係

2016年5月～9月にかけて、当時所属していた北海道大学・厚岸臨海実験所にある桟橋のコンクリート壁で実験ケージを使った野外実験を行いました（図2）。ケージは塩ビパイプとプラスチックネット製で、中央部に板（加入板）を取り付けており、一定期間経過すると加入板に

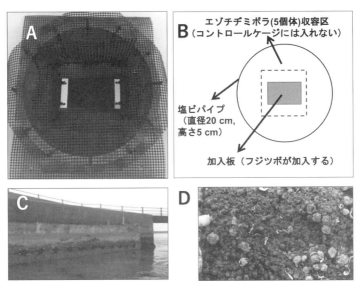

図2　実験に使用したケージの構造と野外実験の様子
（A）実験ケージの写真。中央部は見やすくするために開けている。（B）実験ケージの模式図。（C）北海道大学・厚岸臨海実験所での野外実験の様子。（D）実験後の加入板の写真。白く大きいフジツボがキタアメリカフジツボで、その他の空間はほとんどキタイワフジツボが占めている。フジツボに覆われていない空き空間も少し見える。

フジツボの幼生が加入してきます（図2）。ケージの縁辺部にはエゾチヂミボラを入れたものと入れていないものを用意し、加入板がある中央部と縁辺部はネットで仕切ることでエゾチヂミボラがいても加入板に接触してフジツボが捕食されないような構造になっています（図2）。実験後の加入板上のキタアメリカフジツボとキタイワフジツボの数を解析することで、エゾチヂミボラの存在によってフジツボの加入量がどのような影響を受けているのかを調べました。実はこの実験、2015年に始めたのですが、その年は私にとって初めて野外実験をした年で、完全に失敗に終わってしまいました。実験ケージが波にさらわれてしまったのです。それでも方法を改善して翌年に再チャレンジしたところ、なんとかデータを得ることができました。

　データを解析すると、キタイワフジツボの加入量はエゾチヂミボラの存在によって減少していましたが、キタアメリカフジツボの加入量は変化していませんでした。なぜ同じフジツボなのに異なる結果になるのか、様々な可能性を考えました。もしかしたら外来種のフジツボは移入先で遭遇する新しい捕食者のことを認識できていないのかもしれません。しかし今回実験に使ったエゾチヂミボラの分布域は広く、キタアメリカフジツボの原産地にも分布していることからその可能性は低いと考えられます。別の理由を考えていたところ、車の運転中にふとキタイワフジツボとキタアメリカフジツボの加入時期のズレが重要なのではないかと思いつきました。キタアメリカフジツボの加入はキタイワフジツボよりも遅れて始まることが示唆されていて、その場合、後から加入してくるキタアメリカフジツボが利用できる空間が既にキタイワフジツボに占領されて制限されてしまうことになります。さらに少し複雑ですが、この時エゾチヂミボラがいるとキタイワフジツボの加入量が減るため、後から加入するキタアメリカフジツボが利用できる空きの空間が比較的大きくなることになります。この可能性を考慮してデータを再解析したところ、エゾチヂミボラの存在によってキタアメリカフジツボの利用可能面積に対する加入量が減少していることを見出しました。つまり、キタアメリ

カフジツボの立場から見ると、エゾチヂミボラは加入量を減少させられる厄介な存在である一方で、競争関係にある在来種の加入量を減少させて利用できる空きの空間を増加させてくれるありがたい存在でもあることがわかってきました（図3）。

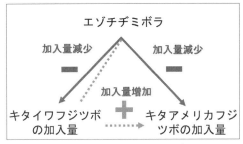

図3 実験の結果から明らかになったエゾチヂミボラがフジツボの加入に与える影響

キタイワフジツボもキタアメリカフジツボもエゾチヂミボラを忌避して加入量が減少する（実線の矢印）。しかしエゾチヂミボラは先に加入するキタイワフジツボの加入を減少させることによって、後から加入するキタアメリカフジツボが利用できる空き空間を増加させ、キタアメリカフジツボの加入量を増加させる効果ももたらす（点線の矢印）。

■ 今後の展開

　今回の実験では、近くに捕食者がいるだけで実際に捕食者に食べられているわけではないのに新規に加入するフジツボの数が減少しました。フジツボの幼生が捕食者の分泌物に由来する化学物質を避けていると考えられています。このように海洋生態系では生物の分泌物を介して生物同士の複雑な関わり合いが形成され、外来種の侵入や定着にも大きな影響を及ぼしていると考えられます。今回は捕食者の分泌物にまつわる研究でしたが、実際には様々な生物が分泌物を出しています。例えばフジツボ自身もフェロモンを分泌して同種の幼生を誘引していることが知られています。しかし在来フジツボのフェロモンが外来フジツボの幼生を誘引してしまうのか？　外来フジツボのフェロモンは別の外来フジツボの幼生を誘引するのか？　など、分泌物を介した生物間の関係性はわかっていないことだらけです。私は海洋生物の分泌物が複雑な生物同士のつながりにどのような影響を与えているのか、またそれが外来種の侵入・定着にどのような影響を与えているのか、ということを解明するために地道に研究を進めていきたいと考えています。

　いうまでもなく海産外来種問題への対策は地球規模の国際的な課題です。基礎研究分野においても国際的なネットワークが重要で、冒頭にご

紹介した論文[1]はそういった国際共同研究による代表的な成果です。しかし残念ながらこの論文の著者に日本人はいません。この論文を読んで以来、世界の国際的な海産外来種研究から日本が取り残されてしまうのではないかと、大きな危機感を感じていました。そんな折、海産外来種に関する国際学術会議の運営メンバーへの就任依頼を受け、2020年から引き受けることになりました。基礎研究分野の研究者として、国際学術誌への研究論文掲載や国際学術会議での運営、また研究発表を通して日本のプレゼンスを示していきたいと考えています。

〈引用文献〉
1) Alam, A. K. M. R., Hagino, T., Fukaya, K., Okuda, T., Nakaoka, M., & Noda, T. (2014) Early phase of the invasion of Balanus glandula along the coast of Eastern Hokkaido: changes in abundance, distribution, and recruitment. Biological Invasions, 16, 1699-1708.
2) Sardain, A., Sardain, E., & Leung, B. (2019) Global forecasts of shipping traffic and biological invasions to 2050. Nature Sustainability, 2, 274-282.
3) Yorisue, T., Ellrich, J. A., & Momota, K. (2019) Mechanisms underlying predator-driven biotic resistance against introduced barnacles on the Pacific coast of Hokkaido, Japan. Biological Invasions, 21, 2345-2356.
4) Ellrich, J. A., Scrosati, R. A., & Molis, M. (2015) Predator nonconsumptive effects on prey recruitment weaken with recruit density. Ecology, 96, 611-616.
5) Kado, R. (2003) Invasion of Japanese shores by the NE Pacific barnacle Balanus glandula and its ecological and biogeographical impact. Marine Ecology Progress Series, 249, 199-206.
6) Bailey, S. A., Brown, L., Campbell, M. L., Canning - Clode, J., Carlton, J. T., Castro, N., et al. (2020) Trends in the detection of aquatic non - indigenous species across global marine, estuarine and freshwater ecosystems: A 50 - year perspective. Diversity and Distributions, 26, 1780-1797.

外来カメムシを追う―在野研究者との共同調査

山田 量崇

■ 日本の外来昆虫

　生物には自らの分布域を拡げようとする性質がそなわっていますが、各々が移動分散する能力は限られています。また、地形や気候などが制限要因となって自由に分布を拡げることはできません。ところが、外来生物は、人間の様々な活動によって意図的あるいは非意図的に本来の生息域から運び出され、条件が合えば別の地域で定着するなどして、その分布域を大きく変化させています。とくに体の小さい昆虫には、他の生物と比べ、交通機関や物資の移動に伴って他の地域に侵入し、定着するものがきわめて多いです。

　明治以降に日本に侵入した外来昆虫は、400 種を超えるといわれています [1, 2]。そして、その 3 分の 1 を占めるコウチュウ目に次いで多いのが、カメムシ目です。明治時代に果樹や園芸樹の苗木とともに持ち込まれたルビーロウムシやイセリヤカイガラムシを筆頭に、オンシツコナジラミやタバココナジラミを含むコナジラミ類、リンゴワタムシなどのアブラムシ類など、害虫として悪名高い腹吻類のカメムシ目昆虫が多いためです。いっぽう、いわゆる "カメムシ" として知られるカメムシ亜目の仲間には、これまで外来種として記録されているものが、例えば台風などにより偶然運ばれてきた偶産種を含めても、わずか 30 種程度にすぎません。しかもその半数は 2000 年以降に侵入しています [3]。種数こそ少ないですが、実はカメムシ亜目にも農作物の害虫や侵入後の爆発的な増加と急速な分布拡大を起こした種など、注目すべきものがいくつか存在します。

　私は 2022 年 3 月まで徳島県立博物館に勤めていました。徳島県は淡路島を隔てて近畿地方の主要部である京阪神エリアと近いため、そこ

で見つかった外来昆虫が、四国では徳島県でいち早く発見されることがしばしばありました。外来昆虫に関する県行政や一般の方からの問い合わせが多いこともあり、まずは徳島県内の外来昆虫に関する基礎情報を蓄積するため、私はこれまでに多くの方々の協力を得ながら外来昆虫の広域的な分布調査を行ってきました。

■ 在野研究者との調査

　今回はそのうちの一つ、在野の研究者との共同調査を紹介します。対象とした外来昆虫は、ヘクソカズラグンバイという体長 2 〜 3mm の小さなカメムシです（写真 1AB）。東南アジア原産で、道路脇や荒れ地などに自生し、身近な植物としても知られるヘクソカズラに寄生します（写真 1CD）。国内では 1996 年に大阪府池田市で初めて発見され、大阪国際空港に入った航空貨物に紛れて侵入したと考えられています[4]。その後、九州北部、岡山県、岐阜県、静岡県、神奈川県、東京都などに

写真 1　ヘクソカズラグンバイと加害されたヘクソカズラ
A-B:成虫、C:寄生を受けて葉が白く変色したヘクソカズラ、D:葉裏に群生する成虫。黒い点は排泄物。

分布を拡げていますが、各地からの記録はきわめて断片的でした。その理由として、本種の寄主植物が実用性の低いヘクソカズラに限られるため、特殊報などの農業関係行政による報告が一切なく、もっぱら一部の職業研究者や在野研究者によって記録されていたからです。従って、本種の分布拡大に関する経時的調査はまったく行われていませんでした。

　私は 2010 年から、外来昆虫の分布拡大に関する研究を行っていた在野研究者の加藤敦史さん（当時、大阪府在住）とともに、四国への侵入初期段階にあったヘクソカズラグンバイが今後どのように分布を拡げていくかを追跡することにしました。四国では 2006 年に愛媛県松山市で初めて確認され[5]、2008 年には徳島県鳴門市と徳島市から見つかっており[6]、それまでの国内での拡がり方から四国ではまだ侵入初期と考えられ、追跡調査が可能であると判断したためです。

　調査方法は単純です。道路際のフェンス、空き地、マント群落などでヘクソカズラ群落を探し、四国全体で 78 地点を定点にして調査を行いました。各調査定点には、基本的に毎年 1 回、本種の食痕が目立つ秋季に訪問し、ヘクソカズラ葉上の成虫や幼虫、脱皮殻、食痕などから発生の有無を記録しました。四国全域を 2 人一緒に調査するのは効率が悪いため、それぞれが担当する地域を決め、数日かけて回ることにしました。高速道路のサービスエリアやパーキングエリア、幹線道路沿いの公園や道の駅などを中心に定点を設定し、2010 年から 2015 年の 6 年にわたって行いました[7]。

■ 予想外の結果

　本種の記録が四国の東西で二分されていたことから、当初、既発生地から水面の波紋のように毎年徐々に拡がっていくだろうと推測していたのですが、その予想が大きく外れました。まず、従来から示唆されているように、今回の調査結果からも本種の分布拡大には自動車などの交通機関が深く関わっていることが容易にわかり、また、しばしば既発生地から孤立した場所で確認され、自動車に付着した飛び地的な拡がりも散

見されました。しかし、調査期間をとおして本種の分布拡大のスピード
はあまりにも遅かったのです（図1）。毎年数カ所の新たな侵入地が確
認されるものの、飛び地的に拡がった地点を除き、既発生地からの分散
距離はせいぜい数キロメートル程度でした。加えて、2013年には新た
な侵入地が確認されませんでした（図1）[7]。

　本種と同じグンバイムシ科の外来種で、北米原産のアワダチソウグン
バイ（写真2A）は、2004年に四国へ侵入した後、翌2005年には四
国全県で発生が確認され、2007年には全域に拡がりました[8]。また、
中国原産のクスベニヒラタカスミカメ（写真2B）は、2018年に四国
への侵入が確認され、翌2019年には四国全県で確認されました[9, 10]。
とくに後者は拡散のスピードがきわめて速く、爆発的な繁殖力と自力飛
翔による分散に加え、交通機関に便乗した跳躍的な分散によって瞬く間
に分布を拡げました[11]。

　いっぽう、ヘクソカズラグンバイは四国で初記録されてから全県で確
認されるまで4年を要し、調査を終了した2015年の時点でもなお四
国全域に拡がっていませんでした（図1）。6年間の調査を通じて侵入
が確認されなかった18地点のうち、徳島県那賀町から高知県香美町に
至る国道196号沿いの3地点と高知県梼原町の1地点は内陸部の高標
高地でありました[7]。既発生地からの距離や地形的な隔たりなどが本種
の分布拡大の障壁となっている可能性が考えられるとともに、熱帯起源
の本種にとっては、冬期の低温が高標高地への定着を妨げている可能性

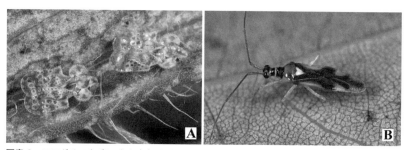

写真2　アワダチソウグンバイ（A）とクスベニヒラタカスミカメ（B）

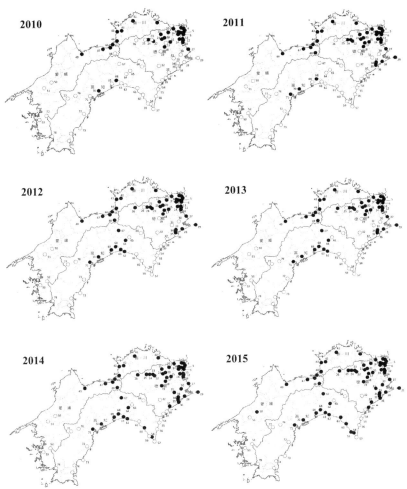

図1　四国におけるヘクソカズラグンバイの分布拡大状況（2010-2015 年）
番号は各調査定点。黒丸は確認地点、白丸は未確認地点。加藤・山田 7）を改編。

も十分に考えられました。また、アワダチソウグンバイが愛媛県石鎚山
の標高 1,600m 付近で飛翔中の個体が確認され、その高い飛翔能力が
示唆されているのに対し [12]、本種にはそうした事例が皆無です。また、
本種の体には風船のように膨らんだ帽状部や、半球状に発達した翼状片
があり（写真 1B）、まさに武器や防具で身を固めたような見た目をし

ています。単純に考えても、他のグンバイムシと比べ、あまり飛翔が得意ではなさそうです。十分な検証は必要ですが、本種の形態的構造や生態的特性と分散能力とに何か関連性があるのかもしれません。

■ 小さなカメムシをとおして四国を見る

　ヘクソカズラグンバイは、そもそもどのように四国に侵入したのでしょうか。四国への侵入初期の記録が、愛媛県松山市と徳島県東部とに二分されていることから、本州から四国に侵入したこと、その侵入経路が少なくとも2つ存在することが考えられました。徳島県東部の記録については、同時期に淡路島でも発見されていることから、本州から淡路島経由で四国に侵入したことが考えられました。前述したように、ヘクソカズラグンバイの移動分散は、自力での飛翔以外に、自動車などに付着・便乗した人為的伝播に因ることが推測できます。むしろ後者の手段で分布を拡げているでしょう。このことは本種に限ったことではなく、微小な昆虫の移動分散においてはよく知られた事例です[3, 13]。そのため、明石・鳴門両海峡の通過には、本四架橋の通行車両に起因したであろうと推測できます。いっぽう、松山市付近への侵入については、本州四国連絡道路の尾道・今治ルートに因ることが考えられますが、四国への入口となる今治市付近には、本種が発見された2006年ごろの記録がないため、松山市の個体群の由来については不明です。実は、アワダチソウグンバイも四国における初期の記録が徳島県東部と愛媛県松山市であることから、本四架橋を経由して同時期に本州から侵入したことが示唆されています[8]。

　2種の外来グンバイムシの四国への侵入が本四架橋の交通に由来していることは、大規模橋梁が外来昆虫の伝搬において大きな影響を及ぼしているといえます。実際、2010年に徳島市で確認された特定外来生物のアルゼンチンアリは、その個体群が神戸港からの由来であることが認められました[14]。神戸・鳴門ルートが四国への侵入経路となった事例です。同じく特定外来生物のセアカゴケグモも、四国へは車両に便乗

して本四架橋経由で侵入しています。2009年に香川県丸亀市で見つかった個体群はおそらく瀬戸中央自動車道を、2010年に徳島県鳴門市で発見された個体群は神戸淡路鳴門自動車道を通過したと考えられています[15]。

大規模な橋梁によって高速道路ネットワークが拡充し、本州と四国間相互の交流圏域は大幅に拡大し、交通量や貨物流動量は飛躍的に増えました。このことは、人間活動に大きな変化をもたらしただけでなく、同時に外来昆虫の四国への侵入をも容易にしたのです。とくに徳島県は、国際貿易港や国際空港のある近畿地方と地理的に近く、経済活動の相互交流が日常的に行われています。京阪神エリアで確認された外来昆虫が徳島県に入る可能性は、四国の他県と比べて高いといえるでしょう。

■ おわりに

本稿では、私がこれまでに行ってきた外来昆虫の調査の中から、専門であるカメムシ類を対象としたものを紹介しました。これらのカメムシは、私たち人間の生活に何か影響を及ぼすわけではありません。人間に実害があれば当然注目されますし、たちまち何らかの対策が取られていきますが、どのような種類でも人の手によって日本にやってきた外来昆虫の存在を認識したり記録したりすることは、生物多様性を理解し、その保全を考えるきっかけになるはずです。また、地道な分布調査からは地域間の交通ネットワークや交流圏域の現状をさぐることもできます。どのような外来昆虫でも知ることができれば、地域や社会をより知ることにつながっていくと思います。

最後に、長年にわたって共同で調査していただき、貴重なデータを共有いただいた加藤敦史氏（埼玉県）に深く感謝申し上げます。

〈引用文献〉
1) 日本生態学会編 (2002) 外来種ハンドブック. 地人書館, 東京, 390p.

2) 森本信生（2010）侵入害虫に対する影響．植物防, 64: 443-447.

3) 山田量崇（2015）外来陸生カメムシ．昆虫と自然, 50 (6)：12-15.

4) 友国雅章・斉藤寿久（1998）大阪府池田市で発見された新しい侵入種と思われるグンバイムシ, *Dulinius conchatus* Distant. Rostria, (47)：23-28.

5) 酒井雅博・小川次郎・久松定智・一柳孝志・栗原隆・菊原勇作（2006）愛媛県の侵入昆虫（1）．四国虫報, (40)：21-23.

6) 山田量崇・行成正昭（2009）徳島県におけるプラタナスグンバイとヘクソカズラグンバイの発生．徳島県立博物館研究報告, (19)：51-54.

7) 加藤敦史・山田量崇（2022）四国におけるヘクソカズラグンバイ *Dulinius conchatus* Distant, 1903 の分布拡大．徳島県立博物館研究報告, (32)：7-12.

8) Kato, A. & Ohbayashi, N. (2009) Habitat expansion of an exotic lace bug, *Corythucha marmorata* (Uhler) (Hemiptera, Tingidae), on Kii peninsula and Shikoku Island on western Japan. Entomological Science, 12: 130-134.

9) 山田量崇（2019）徳島県におけるクスベニヒラタカスミカメの分布状況．徳島県立博物館研究報告, (29)：9-14.

10) 玉川晋二郎（2020）高知市で発見されたクスベニヒラタカスミカメ．徳島県立博物館研究報告, (30)：107-108.

11) 長島聖大・岩崎拓・山田量崇（2016）2015 年に日本へ侵入したクスベニヒラタカスミカメ *Mansoniella cinnamomi* の分布拡大状況．昆虫と自然, 51 (14)：26-29.

12) 矢野真志（2012）石鎚山で飛翔中のアワダチソウグンバイを採集. Rostria, (54)：35-36.

13) 大阪市立自然史博物館編（2020）第 50 回特別展「知るからはじめる外来生物」解説書「知るからはじめる外来生物〜未来へつなぐ地域の自然〜」．大阪市立自然史博物館, 大阪市, 152 p.

14) Inoue, M.N., Sunamura, E., Suhr, E.L., Ito, F., Tatsuki, F. & Goka, K. (2013) Recent range expansion of the Argentine ant in Japan. Diversity and Distribution, 19: 29-37.

15) 清水裕行・金沢至・西川喜朗（2012）毒グモ騒動の真実―セアカゴケグモの侵入と拡散．全国農村教育協会, 東京, 197 p.

第 *6* 章

博物館の研究と
地域社会との絆

地球の歴史記録、「地層」を調べる

廣瀬 孝太郎

■ 堆積物に記録された地球の歴史

　私は、地球環境がこれまで辿ってきた道筋を調べています。私たちが生まれる前の環境は、個人の記憶から辿ることはできませんが、気温や水質の観測記録を調べたり、古文書から読み解いたりすることができます。洞窟絵画に描かれた動植物などから、人類が文字を発明する前の生態系や気候を推定することもできます。しかし、それらのない遠い過去や地域の物事についてはどうでしょうか。それを知るための有効な手がかりが、地層に保存された記録です。

　地層はもともと、泥や砂の粒が水や風の作用で運ばれ、海や湖の底に溜まったものです。地層といえば、崖に見える縞模様を思い浮かべる方が多いかもしれません（写真1）。このような地層の断面（露頭）は、遠い昔に溜まった地層が、長い時間をかけて固まりながら、プレートや断層の運動によって盛り上がり、露出したものです。

　地層は、湖や海の底に今も形成され続けています。そこには、泥や砂と共に、過去から現在までの環境変化が記録され続けています。ただし、当時の気温や水質がそのまま地層の中に残されるわけではありません。残されるのは、

写真1　大きく地層が露出した上総層群（かずさそうぐん）の露頭（千葉県市原市）。もともとは海の底にたまった堆積物でした。

当時の環境下で生育していた生物の骨格（いわゆる化石）や化学成分の一部です。海や湖に浮かべた船や筏から、「コアラー」と呼ばれる筒状の試料ケースを水の底に打ち込み、それを回収することで、柱状の地層を採取することができます。この試料を「堆積物コア」（以下、コア）と呼びます（写真2）。同じ場所の地層は、水の底から深いほど昔に、浅いほど最近に形成されたことになります（地層累重の法則と呼びます）。つまり、地層の情報をコアの深い部分から順々に調べることで、過去から現在までの変化を知

写真2　猪苗代湖で掘削したコアを切断し、観察するところ。

ることができるのです。このように地質学者は、地層に残された情報の断片を辿るように、過去の地球の姿を復元します。

■ 地球の歴史の中の人類の影響

　第1章「兵庫の海にさぐる氷河時代の環境変動」（43ページ）に書かれているように、最近100万年間の地球は、約10万年の周期で氷期・間氷期を繰り返していることが知られています。これに対して、近年の人類の活動は、これまでの自然の周期とは異なる変化を地球環境にもたらしているといわれています。その変化は、長い地球進化の歴史の中でみても大きく、現在を含むその時代を、「人新世（Anthropocene）」という名称で新たに地質時代を区分しようという提案がなされているほどです。言い換えれば、人為的な影響による環境システムの激変は、地球科学における興味深い研究対象の一つです。

　例えば、日本の平野部は、地理的な利便性のために古くから人間の活動が盛んです。そこに隣接する大阪湾や東京湾などの都市沿岸の海域では、埋め立てや人為汚染が環境に影響しているはずです。このような水

域でコアを採取し、そこに含まれる化石や化学成分を調べると、1960年代の高度経済成長が、水域の生態系を大きく変化させたことがわかってきました。また、福島県の猪苗代湖や裏磐梯湖沼群は、1888年の噴火で磐梯山の一部が崩壊し、それ以降にどんどん自然が変化して行っており、自然の変化と人為の変化を区別するのが非常に難しい水域です。このような猪苗代湖で採取されたコアからは、肥料や生活・工業排水によって増殖したプランクトンの活動が、それまで酸性であった猪苗代湖の水を中性に変化させた原因の一つであることがわかりました。その一方で、人間の影響がほとんどないと考えられる500年以上前から、猪苗代湖のプランクトンや水質が変化してきたこともわかりました。さらに、島根県にある宍道湖・中海周辺は、出雲国、伯耆国と呼ばれ、古くから人間の活動が盛んな地域でした。このような歴史的背景をもつ中海で掘削したコアを調べたところ、1800年代に上流の銅鉱床やモリブデン鉱床から流れ出た物質の痕跡が、重金属元素の濃度変化として検出されました。

　このように、コアを人間の影響が存在しない過去の自然状態から現在までを通して環境変化を調べることで、人間がもたらした変化を定量的に示すことができます。それを通して、人間が自然とどのように付き合っていくべきなのか、ヒントを得ることができます。

■ バルト海での調査・研究

　私が比較的最近参加したプロジェクトとして、バルト海（The Baltic Sea）の話を少し詳しく紹介します。バルト海は、ヨーロッパ大陸とスカンジナビア半島に囲まれた、汽水域（海水と淡水が混じり合う水域）です（図1）。水域面積はちょうど日本の国土面積と同じくらいで、平均水深は55m、最大でも459mです。ちなみに、日本海は平均水深が1,667m、最深部が3,742mです。こうして見ると、バルト海は、広大な水域面積の割りには浅い水域といえるでしょう。バルト海は、外海である北海に繋がる海峡部が非常に狭いのも特徴です。そのため海水の交

換が鈍く、上流域での人為改変・汚染の影響が非常に集積しやすい環境です。

2016年の初夏、私は、スウェーデン王国のヨーテボリ大学（Gothenburg

図1　研究水域のバルト海、ルンド大学の位置。

University）やルンド大学（Lund University）との共同プロジェクトで、バルト海の調査に参加しました。正式名称は「Live to tell: Have phytoplankton evolved in response to environmental pollution during the last centuries?」。このプロジェクトは、休眠状態のプランクトン細胞を復活させ、遺伝情報やそれに起因する生態的特性の違いを比べることを最終的な目的としています。Live to tell は「生き証人」のようなノリでしょうか。

　夏の短い北欧では、6月はもっとも慶賀すべき季節だと感じます。夏至には盛大なお祭りが催され、人々は短い夏を慈しむように過ごします。夜の10時頃に日が沈み、朝の3時頃には既に空が明るいので、この滞在中に夜空を見ることがほとんどありませんでした。涼しい気候と豊富な日照のお陰で甘くなるイチゴは、この時期に旬を迎え、たくさんお店に並びます。夏至祭の食卓で食べるイチゴのケーキ（Jordgubbstårta／ヨードグッブストルタ）も、この季節の風物詩の一つです。

　スウェーデン南東部は、かつて一帯を覆っていた氷床が削って作った入り江や群島が連なる複雑な地形です。調査とコア採取は、ストックホルム大学（Stockholm University）の新造船、R/V エレクトラ号（R/

写真3　2018年の調査メンバーと掘削船の R/V Electra 号。向かって左端が筆者。

写真4　調査中の船内。海底地形や水質データを計測しながら、コアの採取場所を定めます。

写真5　コアの採取風景。ウィンチに連結されているのが Gemini コアラー。直径9cm、長さ50cm程度の堆積物コアが2本同時に採取できます。

V Electra）を使用し、数カ所の地点を移動しながら行いました（写真3、写真4）。この船に寝泊まりできるのは乗組員2人と研究者が4人、調査船の中では小型の部類に入りますが、シャワーはもちろん、自動食洗機付きのダイニングキッチンもあって、とても快適に滞在できました。調査で使用したコアラーは、ジェミニ（Gemini）という名前で、同時に2本のコアが採取できます（写真5）。コアラーをウィンチで降ろして水底に突き刺し、引き上げるときには試料の泥が抜け落ちないように底の蓋が閉まった状態で回収できる仕組みです。バルト海の海底の泥は柔らかくて粘りけがあるので、コアラーが軽すぎると突き刺さ

らず、逆に重すぎれば深く刺さり過ぎてしまいます。コアの最上部（＝海底の表層部）は、「現在」を記録した情報として非常に重要で、その部分が乱れなく採取できるかどうかが、研究の成否に大きく左右します。そのため、コアラーに付ける重りを調整しながら何度かやり直し、目的に叶う堆積物試料が採取できたときは、歓声を上げて皆で喜びました。コアは研究室に持って帰って断面を観察してから分析用に分割する場合もありますが、今回は船の上や港で押し出しながら 1cm 刻みでスライスし、保存しました。

■ 分析してわかってきたこと

　私はこのプロジェクトで、採取したコアの中から産出する珪藻化石の分析を行いました。「珪藻」は、海や湖で、水中に浮遊したり、水底の石などに付着して生活している単細胞の植物で、微細藻類と呼ばれる生物の仲間です（写真6）。珪藻は数 100 分の 1 ～ 10 分の 1 ミリメートル程度の大きさしかないため、その姿をはっきりと観察するには、顕微鏡が必要です。しかしながら、小さな珪藻たちは光合成によりたくさんの酸素を生み出しつつ、動物プランクトンや小さな魚などの餌となるため、地球全体の生態系においてとても重要な生物群です。珪藻の最大の特徴は、細胞壁が珪酸質のガラスでできていることです。そしてその殻が、地層の中から化石として産出します。なお、化石には、生物の遺骸が岩石や鉱物に置き換わったものに限定する場合もありますが、本稿では、生きていたときとほとんど同

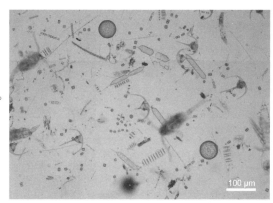

100 µm

写真6　沿岸域のプランクトンの顕微鏡写真。写真の中で見える生物のほとんどが珪藻。2016 年に淡路島の岩屋港でプランクトンネットを用いて採取したもの。

写真7　ルンド大学の図書館。ネオロマネスクーネオゴシック様式の建築と周囲に配された現代美術作品との取り合わせが、楽しい風景を作り出しています。

じ成分（珪藻の場合は珪酸ガラス質）の骨や殻も含めてそう呼びます。

珪藻化石の分析は、スウェーデン南部のルンド大学（Lund University）に何度か滞在して行いました（図1、写真7）。ルンド大学は、創立350周年を越える歴史のある大学です。学生数は4万人以上、これは日本の大学でいえばトップ3に入るくらいの学生数ですが、国民の総人口が日本の10分の1以下であることを考えると、かなりのマンモス校です。2月、3月のスウェーデンは、南部といえども夏とは対照的で、雪や冷たい雨が降り、薄暗い日が多い印象です。でも、フィーカ（fika）と呼ばれる朝と昼過ぎのお茶の時間には、イースター（復活祭）の前に食べるおやつ、セムラ（semla）が振る舞われたりして、春を待ちわびる明るいムードも感じられました（写真8）。また、フィーカに

ラウンジに集まる大学スタッフ達、宿泊していたゲストハウスキッチンで居合わせる色々な国の学生や研究者との会話から、彼らの研究に対する姿勢やライフスタイルを知ることができ、そういった面でも楽しい滞在でした。

採取したコアからは、近年のバルト海の主要種である

写真8　セムラは、カルダモン風味の生地にクリームを挟んだお菓子です。四旬節（イースターまでの約1ヶ月半）にケーキ屋さんやパン屋さんに並びます。

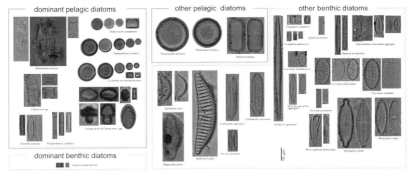

図2　バルト海の堆積物コアから産出した珪藻。珪藻が持つガラスの皮殻には無数の孔が配列し、精緻な模様となっています。

Skeletonema marinoi を中心として、たくさんの珪藻化石が産出しました（図2）。これら珪藻化石の量や種類を解析し、周辺の歴史と比較した結果、いくつかの発見がありました。1950年代以降に人為的負荷によるリンや窒素によってバルト海沿岸の生態系が大きく変化したことや、2010年代以降には、生態系に回復の兆しがあることなどです。また、調査地域では、アイスアレジー（ice algae）と呼ばれる、流氷にくっついて生活するタイプの珪藻の量が変化していることも確認されました。その量の変化が流氷の消長を反映したものならば、そこから地球温暖化の影響を評価できるかもしれません。バルト海の研究プロジェクトは、今後も続けていく予定です。多くのコア試料を分析すると共に、珪藻種の生態を調べたり、共同研究者の研究成果を加えたりして、過去の環境変化をより具体的に明らかにすることで、新たな発見ができると考えています。

生物標本の遺伝情報を利用する

中濱 直之

　人と自然の博物館をはじめとした国内外の博物館には、多くの生物標本が収蔵され、数々の研究に活用されています。これらの標本は、これまで形態に基づく分類学的研究や、採集情報に基づく生物多様性情報学に利用されることが多かったのですが、近年は標本に含まれる遺伝情報も、海外を中心に注目されるようになって来ました。標本の遺伝情報を利用すると、どんなメリットがあるのでしょうか？　わかりやすくいうと、過去の情報を今によみがえらせる、いわば「タイムカプセル」の役割を果たします。本稿では、その具体例や、関連する話題をいくつか御紹介します。

■ 絶滅種の標本を用いて系統関係を明らかにする

　すでに絶滅してしまった種では、生きた個体の遺伝子を手に入れることは不可能です。しかし博物館には、絶滅してしまった生物種の標本も、

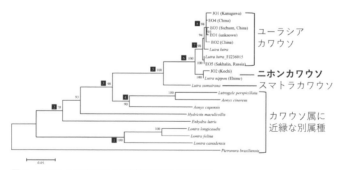

図1　ニホンカワウソとその近縁種の分子系統樹

ミトコンドリア DNA の ND5 配列と cytb 配列を使用。ユーラシアカワウソともっとも近縁であることがわかる。Phylogenetic tree for Lutrinae based on the partial mtDNA together with the L. nippon（Ehime）© Waku et al. 2016（Licensed under CC BY 4.0）から一部改変。

たくさん収蔵されています。そうした標本の遺伝情報を利用することができれば、絶滅した生き物について様々なことがわかります。例えば引用文献 1 は、すでに絶滅したニホンカワウソの遺伝情報を博物館標本から取得し、ユーラシアカワウソにもっとも近縁であることを明らかにしています（図 1）。

■ 博物館標本の遺伝情報を生物多様性保全に活用する

　標本は、すでに絶滅した生物種の研究だけでなく、絶滅危惧種の保全にも役立ちます。筆者らは、種の保存法で国内希少野生動植物種に指定され、絶滅の危機にあるチョウ類の一種ウスイロヒョウモンモドキについて研究を実施しました[2]（写真 1）。ウスイロヒョウモンモドキが生息している地域とすでに絶滅した地域において、標本などを用いて1990 年前後と 2010 年前後の遺伝的多様性を比較したところ、いずれの地域においても遺伝的多様性の大幅な減少が見られました。遺伝的多様性が減少すると、有害遺伝子の発現により成長や繁殖が失敗しやすくなる現象（近交弱勢）が起こるリスクが増大します。特に遺伝的多様性の低い地域では、近交弱勢を起こさないように適切な管理をする必要があります。どの地域を特に注意して守っていくべきか、今後の保全対策にとって非常に重要な知見が得られました。こうした保全への活用は引用文献 3 で詳しく解説していますので、ご興味のある方はそちらをご覧ください。

写真 1　ウスイロヒョウモンモドキ
現在は兵庫県と中国地方のごく限られた地域のみに生息する。絶滅の危険が非常に高いことから、種の保存法で国内希少野生動植物種に指定されている。

■ 博物館標本の遺伝情報を用いたデータベースの整備

　世界中に生息する生物について、特定の遺伝子領域の配列を決定し、種の識別に利用する「DNA バーコーディング」を進める国際プロジェクト "Barcode of Life Data Systems" が 2005 年に設立され、配列情報の蓄積が世界中で進行しています。この DNA バーコーディングは、池や川の水に含まれる DNA 断片から生物相を明らかにする環境 DNA、また動物のフンから餌生物を推定する食性解析などに大きな力を発揮するため、今後も多くの分類群における配列情報の網羅的な蓄積が望まれます。しかし、種数が極めて多い昆虫類をはじめとする無脊椎動物については、配列情報がまだ十分に網羅されていないことが多く、今後効率的に配列の決定をしていく必要があります。

　ここでも標本が大きく役立ちます。博物館の標本は、特定の分類群について網羅的に収蔵されていることが多いため、新たなサンプル収集をする手間を省くことができます。引用文献 4 では、オーストラリアの 12,699 種 41,650 個体ものチョウとガの標本を用いて、たった 14 週間でバーコード配列を決定しています。これだけの数を野外で一からサンプリング、標本作製、配列決定をするとなると、非常に手間がかかることは容易に想像でき、博物館標本の威力を思い知らされます。

■ 博物館標本の破壊を抑えた遺伝解析手法

　これまで、標本から遺伝解析をする際にはどうしても標本の一部を切り取らざるを得ず、その破壊的な利用が問題となっていました。博物館標本は人類共有のかけがえのない財産であり、研究のためとはいえ、破壊的な利用はできる限り抑えられるべきです[5]。

　近年、博物館標本の外部形態を破壊せずに DNA を抽出する方法が、確立されるようになってきました。例えば昆虫では、タンパク質分解酵素を含んだ DNA 抽出液に身体を浸し、DNA が溶け出した後に再度乾燥させることで、外骨格を破壊せずに DNA を抽出することができます[6]。また植物でも、DNA 抽出液を標本上に静置し、しばらくしてか

ら回収することで、標本を破壊せずに DNA を抽出できることがわかっ
てきました[7]。まだすべての分類群でこうした方法が開発されている訳
ではありませんが、いずれは博物館標本をほとんど破壊せずに遺伝情報
を取り出せる時代が来るかもしれません。

■ 博物館標本の遺伝情報の長期保存

　博物館の標本は、長期間常温保存されることが多いため、新鮮なサン
プルと比べて DNA がボロボロに劣化しています。また当然ながら、劣
化は年を経るごとに進行するため、古ければ古いほど DNA の解析が難
しくなります（図2）。従来の遺伝解析方法では、このような劣化した
DNA の配列決定が非常に難しく、次世代シーケンサーなど解析技術の
発展に伴って、やっと利用され始めたところです。しかし、やはり
DNA 情報を安価に安定して取得するには、博物館標本の DNA の品質
をできるだけ維持しておく必要があります。

　そこで、筆者らは昆虫標本の遺伝情報を長期間保管する技術を開発し
ました。これまで昆虫をはじめとする動物の DNA サンプルは、無水エ

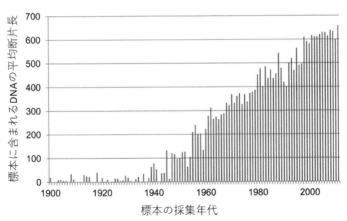

図2　昆虫の乾燥標本の解析成功率と採集年代の関係
縦軸の数字は遺伝解析に必要な DNA の長さで、この値が大きいほどより品質の高い DNA
が必要となる。Variation in percentage success in recovery of four COI amplicons from
12,031 Lepidoptera specimens of varied age from ANIC © Herbert et al. 2013（Licensed
under CC BY 4.0）から一部改変。

写真2　DNAを長期保存できる昆虫標本
昆虫の体の一部とプロピレングリコールをPCRチューブに入れ、チューブの蝶番に昆虫針を刺すことで、標本とDNAサンプルを一体的に保存できる。

タノールで保存するか冷凍庫で保存するのが一般的でした。なんとか昆虫の乾燥標本中で保管できないか検討したところ、「PCR用チューブにプロピレングリコールと昆虫の体の一部を入れて、チューブの蝶番に昆虫針を刺す（写真2)」ことで長期間保管できることがわかりました[8]。通常の方法では標本の作製後1年を経過すると、コオロギではDNAバーコード領域のPCR（DNAを増幅する操作）ができないほど劣化していましたが、開発した手法では、DNAバーコード領域の2倍を超える長さのPCRも全く問題なく実施できました。プロピレングリコールを用いることで、エタノールのように短期間で蒸発する心配がなく、長期的に保管することが期待できます。また今後は、昆虫だけでなく植物など、他の分類群でもDNAの長期的な保管ができないか、研究を進めているところです。

■ 今後に向けて

　遺伝解析の技術は、指数関数的に発展し続けています。たった20年ほど前におよそ100億円もの費用がかかったヒトゲノムの決定は、今や15万円程度で決定することができます。野生生物においても、ゲノムレベル（数億〜数百億塩基対）の遺伝解析を実施することが珍しくなくなってきました。しかし、どこまで解析技術が発展しても、過去の情報を知ることは簡単ではありません。標本の遺伝情報は、過去の情報を知ることで新しい知識を得る、いわば「温故知新」のための強力な材料となりえます。現在、海外を中心に標本のゲノムレベルでの解析を実施した研究が増えつつあります。日本でもこうした潮流に乗り遅れず、研

究が進んでいくことが強く期待されます。

〈引用文献〉

1) Waku, D., Segawa, T., Yonezawa, T., Akiyoshi, A., Ishige, T., Ueda, M., ... & Sasaki, T. (2016). Evaluating the phylogenetic status of the extinct Japanese otter on the basis of mitochondrial genome analysis. PLOS ONE, 11：e0149341.
2) Nakahama, N., & Isagi, Y. (2018). Recent transitions in genetic diversity and structure in the endangered semi‐natural grassland butterfly, *Melitaea protomedia*, in Japan. Insect Conservation and Diversity, 11：330-340.
3) Nakahama, N. (2021). Museum specimens: An overlooked and valuable material for conservation genetics. Ecological Research, 36：13-23.
4) Hebert, P. D., DeWaard, J. R., Zakharov, E. V., Prosser, S. W., Sones, J. E., McKeown, J. T., ... & La Salle, J. (2013). A DNA 'Barcode Blitz': Rapid digitization and sequencing of a natural history collection. PLOS ONE, 8：e68535.
5) 志賀隆（2013）自然史標本を取り巻く管理者・採集者・利用者の関係：よりよい標本の保存・収集・利用を行っていくために（〈連載 2〉博物館の生態学（22））．日本生態学会誌，63（3）：375-383.
6) Patzold, F., Zilli, A., & Hundsdoerfer, A. K. (2020). Advantages of an easy-to-use DNA extraction method for minimal-destructive analysis of collection specimens. PLOS ONE, 15：e0235222.
7) Sugita, N., Ebihara, A., Hosoya, T., Jinbo, U., Kaneko, S., Kurosawa, T., ... & Yukawa, T. (2020). Non-destructive DNA extraction from herbarium specimens: a method particularly suitable for plants with small and fragile leaves. Journal of plant research, 133：133-141.
8) Nakahama, N., Isagi, Y., & Ito, M. (2019). Methods for retaining well-preserved DNA with dried specimens of insects. European Journal of Entomology, 116：486-491.

ダーウィン・クジャクの羽・花粉

京極 大助

■「人間の由来と性淘汰」出版 150 年

2021 年はチャールズ・ダーウィンが「人間の由来と性淘汰（原題：The Descent of Man, and Selection in Relation to Sex)」という生物学の歴史に残る名著を出版してからちょうど 150 年の節目の年でした[1]。しかしダーウィンの別の著作「種の起源」[2] に比べると、「人間の由来と性淘汰」は一般にあまり認知されていないようです。そこで本稿では「人間の由来と性淘汰」の学術的な意義と、ダーウィンを源流とする研究の今日の姿の一部をご紹介しましょう。

■ 自然選択

生物の姿・形が時代とともに変化するらしいこと、すなわち進化が起きるらしいことは、19 世紀ごろにはある程度科学者たちの間で認識されていました。問題は、進化が起きる原因がわからない点にありました。20 代のころにイギリス海軍の測量船に乗り込み世界を旅したダーウィンは、多様な生物を目の当たりにしたことにより生物進化に興味を持ちます。そして 1859 年に「種の起源」を出版し、生物進化が起きる仕組みを指摘しました。ダーウィンの指摘はその後様々な検証にさらされ、その正しさが確認されています。

ダーウィンの指摘は、要約すると次のような内容です。まず、同じ種に属する個体の間には性質に差異が見られます。例えばウサギの中にも足の速いウサギと足の遅いウサギがいる、といった具合です（図 1）。このように個体間の性質に差が見られることを「変異がある」といいます。次に、こうした変異の中には個体の生存に有利に働いたり不利に働いたりするものがあります。例えば足の速いウサギは捕食者から逃れや

すく、それゆえに足の遅いウサギよりも生き残りやすい、といったことが考えられます。若いうちに死んでしまっては繁殖できないので、生き残りやすい性質をもった個体ほど子孫を残しやすいことになります。このように、個体の性質によって子孫の残しやすさが影響されることを「選択がかかる」といいます。最後に、個体の性質の違い（変異）は多くの場合に、多少なりとも遺伝します。足の速いウサギの子は、（個体差はあれども）平均的に見れば足が速いだろう、ということです。そして

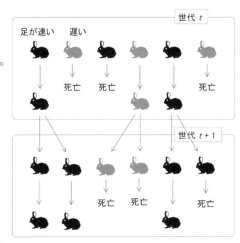

図1　自然選択による進化の仮想的な例

世代 t が生まれた時には、足の速い個体（黒で示してある）と足の遅い個体（灰色）が半分ずつついるとします。平均的には足の速い個体のほうが捕食を免れやすく、繁殖齢まで生き残りやすいとします。図の例では、足が速い個体は3個体中2個体（67%）が生き残っていますが、足の遅い個体は3個体中1個体（33%）だけが生き残っています。また足の速さは遺伝する性質だとします。すると、出生時の比率を比べると、t 世代よりも t+1 世代で足の速い個体の割合が少し増えます。こうした事が何世代も繰り返されると「足が速い」という性質が集団中に広がっていきます。これがダーウィンの考えた進化の仕組みです。

変異と選択と遺伝の3つがそろうと、世代を経るうちに生存に有利な性質が集団中に自動的に広がっていくことになります（図1）。これがダーウィンの指摘した自然選択（自然淘汰とも）による進化です。

■ **性選択**

　1859年に「種の起源」を発表したダーウィンには、悩みがありました。自然選択のような生存上の有利さだけを考えるなら、クジャクの飾り羽のような性質を説明できないことにダーウィンは気づいていました。クジャクのオスには美麗で長い飾り羽があります。飾り羽は捕食者に目立つでしょうし、重いので捕食者から逃げる時にも邪魔になりそうです。1860年に友人に宛てた手紙の中でダーウィンは「クジャクの羽を見ると頭が痛くなる」と述べています。

クジャクの飾り羽のような、一見すると生存上不利な性質を説明するためにダーウィンが辿り着いた答えは性選択（性淘汰とも）でした。繁殖できる年齢まで生き残った個体は、繁殖の機会をめぐって競争します。カブトムシのオスはメスとの交尾の機会をめぐって喧嘩しますし、アマガエルのオスはメスを惹きつけるために大合唱をします。繁殖機会をめぐる競争もまた、生物の性質を進化させる力なのではないか。それがダーウィンの結論でした。ダーウィンはこの考えを「人間の由来と性淘汰」の中で展開しています。

　ダーウィンの性選択説は、主に2つの主要な議論から成り立っています。一つはオス同士がメスをめぐって争うことでオスが角などの武器を進化させるというものです。カブトムシやシカの角が典型的な例です。この説明は、当時の科学者にも受け入れやすいものだったようです。もう一つの主張は、メスがオスを選り好みする生物では、メスから好まれるような性質をオスが進化させるだろう、というものです。ダーウィンはクジャクの飾り羽が進化した理由を「メスは綺麗なオスを好む」という点に求めたのです。ただし、こちらの説明が受け入れられるまでには長い時間がかかることになりました。

■ 性選択（特にメスの選好性）の研究史

　性選択、とくにメスによる配偶者選択がすぐには受け入れられなかった理由は大きく2つあるようです。まず、ビクトリア朝時代のイギリスにおいて、メス（あるいは女性）が積極的・主体的に配偶相手を選ぶという考え方を受け入れられる人は多くは無かったようです。21世紀の我々からすると、あまり科学的な理由に聞こえないかもしれません。しかし科学研究も人間活動です。科学が真に客観的な営みである、という考えこそが思い込みであるというのが私の意見です。話をもとに戻しましょう。メスによる配偶者選択が受け入れられなかったもう一つの理由は、メスがオスを選んでいるという証拠が無かったことです。クジャクのメスに「オスを選んでいますか」と聞いても、何も答えてくれませ

ん。何がどうなると、メスがオスを選んでいることが科学的に示された
ことになるのでしょうか。

　メスがオスを選んでいることを初めて実験的に示したのはスウェーデ
ンの科学者アンデソンでした[3]。アンデソンはアフリカに生息するコク
ホウジャクという鳥を使って実験を行いました。コクホウジャクのオス
には長い尾羽があります。メスが長い尾羽に惹かれるのではないかと考
えたアンデソンは、尾羽を切ったり貼ったりすることで、尾羽の短いオ
ス、普通のオス、尾羽が普通よりも長いオスを作りました。すると、尾
羽が極端に長いオスがもっともメスから配偶相手として選ばれやすく、
尾羽が極端に短いオスはメスからほとんど見向きもされないことが明ら
かとなりました。この実験結果が科学誌 Nature に掲載されたのは
1982 年でした。「人間の由来と性淘汰」の出版から 101 年後のことで
す。その後、1980 年代から 2000 年代にかけて性選択の研究は進化学
の一大テーマとなり、世界中で沢山の研究が行われました。多くの生物
でメスがオスを積極的に選んでいる事などが現在ではわかっています。

■ 植物での挑戦

　私は学生のころ、昆虫のマメゾウムシ類を材料に性選択に関係する研
究を行っていました（例えば引用文献 4）。その後、学問的な興味の広
がりもあり、現在は植物の繁殖生態にも関心を持っています。最後に私
が今どんな研究をしようとしているのかを、歴史的な背景とともに簡単
に紹介しましょう。性選択の研究はこの 40 年間で飛躍的に進みました。
しかしその研究対象のほとんどが実は動物です。植物においても性選択
の研究は行われていますが、動物ほどには理解が進んでいません。何故
でしょうか。

　アンデソンの実験を思い出してみましょう。アンデソンの実験が可能
だったのは、アンデソン自身が「コクホウジャクのメスは尾羽の長いオ
スが好きなのだろう」という見当をつけたからです。私たちはコクホウ
ジャクの尾羽が飾り羽だといわれれば納得できますし、クジャクの飾り

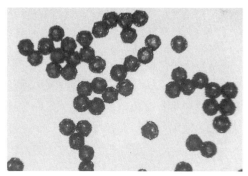

写真1　カンサイタンポポの顕微鏡写真
この花粉はめしべから見て魅力的なのでしょうか。写真提供：
鈴木武博士。

羽が綺麗だとも感じます。鳥類の脳と私たちの脳に共通した認知上の仕組みがあり鳥類もヒトも同じような視覚刺激に美しさを感じるのだろう、というのが私の考えです。

ここで植物の性選択を考えてみましょう。例えば私はカンサイタンポポの繁殖生態を研究しています[5]。タンポポの花粉は顕微鏡で観察することができます（写真1）。しかし私には、どういう花粉がめしべから見て魅力的なのか、さっぱり見当がつきません。研究対象に感情移入したり、生物の行動を擬人化して解釈したりすることには客観性の面からいって問題があります。それでも私は昆虫の研究をしている際に「痛そうだな」とか「異性を探しているのだろうな」という推測からヒントを得ていました。残念ながら、植物を見ていてもそういうヒントはあまり得られません。植物を研究するようになって最初に驚いたのはこの点でした。

では、植物の性選択はどうやって研究したら良いのでしょうか。動物の研究で積み上げられた知見を活用する、というのが私の今のところの答えです。40年にわたる動物学者たちの研究により、性選択に関する意外な事実がたくさん明らかになっています。そうした知見から「理論上、植物でも同様の現象が見られるはずだ」という予測を立てることができます。そうした予測を道しるべとして、物質レベルで植物のオス機能とメス機能の間にどんなやりとりがあるのか、これから調べていきたいと考えています。例えばどういった遺伝子を持つ花粉が好まれるのかがわかれば、その遺伝子の機能を調べたりすることで、少しずつ植物の性選択の実態が見えてくるのではないか。そんな風に私は考えています。最近はシロイヌナズナを材料に「花粉にとって繁殖上有利な遺伝子」を

A

B

授粉なし

授粉あり

0　10　20
授粉してからの時間

写真2　「花粉にとって繁殖上有利な遺伝子」を探す実験
(A) シロイヌナズナ6個体のめしべを同時にウェブカメラを使って撮影している様子。(B) 撮影されたシロイヌナズナのめしべ。柱頭に乳頭細胞と呼ばれる毛のような細胞が生えており、授粉すると乳頭細胞が早々に枯死します。乳頭細胞が枯死するまでの時間が授粉する花粉の性質によって影響されるのかどうか、影響されるとすればその花粉の性質を決めている遺伝子が何なのかを調べようとしています。

探す実験（ゲノムワイド関連解析）を始めました（写真2）。この実験の源流がダーウィンの提唱した性選択理論にあると思うと、150年経っても色あせないダーウィンの理論の偉大さを感じずにはいられません。

〈引用文献〉
1) Darwin, C. (1871) The descent of man, and selection in relation to sex. UK: John Murray. (ダーウィン C. 長谷川眞理子 (訳) (2016). 人間の由来 (上) (下) 講談社学術文庫)
2) Darwin, C. (1859) On the origin of species. UK: John Murray. (ダーウィン C. 渡辺政隆 (訳) (2009). 種の起源 (上) (下) 光文社古典新訳文庫)
3) Andersson, M. (1982) Female choice selects for extreme tail length in a widowbird. Nature, 299：818-820.
4) Kyogoku, D., Sota, T. (2017) The evolution of between-species reproductive interference capability under different within-species mating regimes. Evolution, 71：2721-2727.
5) Kyogoku, D., Kataoka, Y., Kondoh, M. (2019) Who determines the timing of inflorescence closure of a sexual dandelion? Pollen versus recipients. Evolutionary Ecology, 33：701-712.

ヒトの進化とスペクトラム

三谷 雅純

　社会にはいろいろな人がいます。生い立ちや生活のしかたも様々です。日本ではひと処で暮らす農耕民が多かったのですが、地球レベルで見直すと、もっといろいろな人生があります。わたしは長くアフリカ中央部の熱帯雨林でサルや類人猿と植物の進化を調べていました。人びとはピグミーであり、バンツーでした。東アジア出身者は、大抵、わたし一人でした。

　ピグミーは森を移動しながら暮らす狩猟採集民です。焼き畑農耕民のバンツーは豊かな土地であれば定住もしますが、痩せた土地では新たな農地を求めて森を焼き、少しずつ移り住むのが普通です。そのような伝統や環境によって、人びとの生活は様々に変わります。生活の仕方や社会のありようは「文化」と呼ばれています。

　人間を生物学的に語る場合はカタカナにして「ヒト」と表します。ヒトの遺伝子も、文化同様、多様です。科学的な根拠のない「人種」や「民族」のことをいっているのではありません。すべてのヒトは様々な突然変異を持っている。そのようなヒトの遺伝子のせいで、人間は多様な行動をとります。

　遺伝によって決まるヒトの行動は、大抵、程度が大きいか小さいかで表されます。それを科学の世界では「スペクトラム」と表現します。その典型的な例が自閉スペクトラム症です。

　自閉スペクトラム症とは、かつては「子どもに典型的な精神疾患」とされた「自閉症」のことです。「自閉症」の人はコミュニケーションがへたで、あたかも友だちとうまく付き合えないように見えます。かと思うと、好きなことならいつまでも続ける人がいます。また、ひとつのことにこだわってしまい、いつもと順番が変わったりすると、不安と恐怖

からパニックになる子どもがいます。予定の変更がある時は、事前に何度も変更のことを告げるそうです[1]。「自閉スペクトラム症」という言葉は、アメリカ精神医学会がまとめた『精神障害の診断と統計マニュアル』の最新版 DSM-5 によって一般的になりました。

　自閉症に関連した遺伝子は多く、次つぎに見つかっています。研究室レベルでいうと（つまり、まだ研究途上のものを含めると）100 種類を越えているはずです。そしてこの遺伝子は，例外なくどの人も持っていることが解ってきました。しかし、誰でもこの自閉症に関係のある遺伝子を持っているのだとしたら、医師はどうやってある人を「自閉症」だと診断するのでしょうか。

　どのような社会にも、この人は病気だから医師にしっかり診てもらった方が良いが、あの人は少し変だが医師に診てもらう程のことはないということがあるものです。その判断の基準が『精神障害の診断と統計マニュアル』に載っているのです。日本のように多数者、つまり「普通の人」から外れる人を排除しがちな社会と、アフリカの狩猟採集民とでは、当然、「病人」かどうかの基準が変わります——ここでは詳しく説明する余裕はありませんが、付き合ってみた感覚で、狩猟採集民のピグミーは、日本では発達障害の一種とされている注意欠陥・多動性障害（ADHD）の人が多いように感じました。ADHD の人の優れた行動パターンである、様々なことに注意深く神経を研ぎ澄ましている人でないと、毒蛇や猛獣のいる森の中で生活するのは難しいのです。

　「定型発達症候群」という聞き慣れない言葉があります。「定型発達症候群」は「自閉症」と診断された人の造語です。「普通の人」は自閉症者のことを「変わっている」とか「変だ」と（攻撃的に、あるいは悪意を持って？）いいつのるのですが、自閉症者から見ると「普通の人」が変なのです。ちなみに「定型発達：Neurotypical（NT）」という単語は学術的には「発達障害でない」という意味で使われ、「定型発達症候群」の人も「充分に変な症状なのだ」という含意があります。例えば：

◎　暇な時はなるべく誰かと一緒に過ごしたい。

◎　集団の和を乱す人を許せない。

◎　社会の習慣にはまず従うべきだ。

◎　はっきり本音をいうことが苦手だ。

◎　必要なら平気で嘘をつける。

などが自閉症者から見て「定型発達症候群」のある「普通の人」の行動パターンとして挙げられる変な癖なのです [2]。これらは「普通の人」にとって当たり前のことばかりなのでしょうが、よく考えるとそのような行動をとる理由は不明です。

　ウエブに挙げられたオリジナルの「定型発達症候群」のページ [3] では、もっと辛辣なことが書かれています。つまり「定型発達症候群」の人は、「自分が正しいという保証はないにもかかわらず、他人との些細な差異で人格攻撃をし、常に自分が正しいと勘違いをしており、そのくせ嘘つきだ」という評価です。これは自閉症者から診た「普通の人」への（きわめて率直な）感想だといえるのです。

　わたしは「普通の人が嘘つきだ」といういい方がよく理解できます。ともかく医療行政の基準に照らせば、社会は「自閉症」か「自閉症」でないかはくっきりと分かれてしまいます。ちなみに自分が「自閉症」かどうかはわかりませんが──診断を受けたことがありません──、わたしは「漢字を書いたり読んだりすることが苦手な学習障害者」です。この点で発達障害であることに変わりはありません。その分、自閉症者の気持ちがよくわかるのです。

　一方「普通の人」にとっては「嘘も方便」なのです。嘘をつく行為を恥ずべき行為だとは思っていません。人と人との関係を円滑につなぐ「大人の知恵」として、「普通の人」は「嘘」を奨励しているぐらいです。

セルゲイ・ガブリレッツ（Sergey Gavrilets）という進化生態学者の本におもしろい図（Gavrilets, 2010 の図 3.3）[4] が載っていました。元もとは突然変異と種分化の過程を示す「適応度ランドスケープ (Fitness Landscapes)」の図です。「適応度ランドスケープ」とは「人間に認識できるように視覚化した、子孫を残す可能性の図」とでもいうものです。デコボコが山や谷のように見えますから「ランドスケープ」なのでしょう。

　わたしがおもしろいと思ったのは図 -a です。子孫を残す可能性が高い山の頂上がひとつに限らないのです。「子孫を残す可能性が高い」ということは、その生物が種として長く生き残ることを意味します。そして時間が経つ内に、当然のことですが、山の場所が変化することもあるのです。環境が変わったらある種は滅び、別の種が栄える。これなど、どこにでも見つかる現象です。もう一つの図 -b は頂きがひとつだけです。ただ 1 種の生物が生き残る。現実に、このようなことはありそうもありません。なぜなら、ただ 1 種で生態系は形作れないからです。少なくとも安定して生き残ることはできないでしょう。

　この図を我われ自身に当てはめてみると、どんなことがいえるでしょう。狩猟採集生活では ADHD でないとなかなか生き残れないかもしれません。しかし、定住した農耕民の生活では、いろいろなことに気を使うよりも、スケジュールに沿った単調な生活が多くの作物を育てるポイ

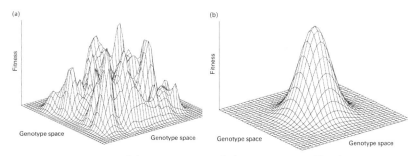

図 1　適応度ランドスケープ（Fitness Landscapes）（Gavrilets, 2010 の図 3.3）
(a) のように生き物の適応度は環境条件によって変化します。(b) のような単一の基準で適応度が決まると考えるのは「神話」にしか過ぎません。

ントでしょう。我われは長い狩猟採集生活の時代を経て農耕を基本とする生活に変わりました。そして今では、実体のないイメージ（例えば電子マネーや e- スポーツ）にまで振り回される時代になりました。これなどまさに、適応度の山が時間とともに激しく変化した例です。

　我われの社会は図 -a で表した、デコボコの入り乱れた社会であったはずです。どのような生物の生き残り策が一番良いかは時代によって変わります。ここに、我われの行動がスペクトラムである本当の理由がある気がします。ひとつの頂きしかない単純な図は、喩えていうとひとつだけの基準——腕力とか、高校までの学力とか——で生き残りを決めるようなものです。現実にそんなことはあり得ません。

　少なくとも、わたしの経験してきた人生はもっと複雑でした。決して機械では測れない人生。それは辛いこともあるけれども、喜びの多い人生です。

　その方が人間らしい。そうは思いませんか？

〈引用文献〉
1)【特集】発達障害って何だろう「困りごとのトリセツ」（2022 年 12 月 21 日閲覧）
　 [http://www1.nhk.or.jp/asaichi/hattatsu/torisetsu/cat_particular.html]
2) 上松圭（2018）コラム③『定型発達症候群』という考え方. NHK スペシャル取材班編
　 「発達障害を生きる」, 集英社, 132-134.
3) Institute for the Study of the Neurologically Typical
　 [https://web.archive.org/web/20160309001527/http://isnt.autistics.org/]
4) Gavrilets, S.(2010)High-Dimensional Fitness Landscapes and Speciation [https://
　 www.icts.res.in/sites/default/files/LivingMatter2018-Claudia-Bank-Research-
　 Paper6.pdf]. In: Massimo Pigliucci & Gerd Muller（eds.）Evolution: the extended
　 synthesis, MIT Press.

※初出：三谷雅純（2021）〈障害者〉として社会に参加する—生涯学習施設で行うあらゆる
　 人の才能を生かす試み. 春風社, 243-250.

「非認知的能力」から読み解く博物館での学び

八木　剛

　皆さんは、何をしに博物館へ行きますか？　勉強ですか、遊びですか？

　博物館は、実物資料とそれに精通する専門家、付帯する施設を通して、人々に学びの機会を提供する教育機関です。専門的な知識の提供は博物館の得意とするところで、社会からもその役割を期待されています。しかし、多くの利用者が博物館に求めている、あるいは博物館から提供される学びは、必ずしも知識だけではありません。これは、多種多様な利用者と日々向き合っている博物館人の多くが実感していることですが、学びの中身が何なのかについては、あまり深く議論されていませんでした。

　ひとはく（人と自然の博物館）が開館した 1992 年から四半世紀を経て、学びを取り巻く社会情勢はずいぶん変化しました。IT の発達によって専門的な知識もインターネットを通して今や簡単に入手できます。AI の実用化でさらに状況は変わっていくのでしょう。そんな新しい時代を前に今、「非認知的能力」という概念が注目されています。

　博物館が利用者に提供する学びのうち、知識ではないもやもやとしたものは何かという疑問は、それを非認知的能力に関するものと考えると、すっきり氷解します。もやもやしたものをうまく説明できるということは、博物館の利用者にとっても、サービスの提供者にとっても、喜ばしいことではないでしょうか。自分の経験も交えて、これについてもう少し考察してみたいと思います。

■「非認知的能力」の再認識

　国立教育政策研究所は、2017 年 3 月に「非認知的（社会情緒的）能

力の発達と科学的検討手法についての研究に関する報告書」を上程しました[1]。国際的な潮流となりつつある非認知的能力の育成を、わが国でも今後の教育目標（とくに学校教育）に取り入れる必要があるかもしれない。そこで、その内容がどんなものであるか、測定や記述の方法にはどのようなものがあるかについて、まずはレビューをして、今後の研究のための基礎資料としよう、というのがこの報告書の趣旨です。報告書によると、次のような背景があります。

"OECD（経済協力開発機構）は、2015年に「Skills for Social Progress: The Power of Social and Emotional Skills」というレポートを刊行しました。このレポートでは、社会の発展や個人の well-being につながるような、我々人間が持つ様々なスキルを、認知的スキルと非認知的スキルに大きく整理して捉えており、後者を「社会情緒的スキル（Social and Emotional Skills）」と呼んでいます。

認知的スキルは、知識、思考、経験を獲得する能力であり、獲得された知識に基づく解釈や推論などが含まれます。一方、社会情緒的スキルは、「長期的目標の達成」、「他者との協働」、「感情を管理する能力」の3つの側面に関する思考、感情、行動のパターンであり、学習を通して発達し、個人の人生ひいては社会経済にも影響を与えるものとして想定されています。

青少年を対象とした9つの国での調査結果によると、認知的スキルは高等教育への進学や雇用、収入などでの成功を予測していますが、非認知的スキルの状態は後の認知的スキルの状態を予測するという分析がなされています。また、ある時点でのスキルが将来のスキルの状態を予測するというパターンが示され、早い段階でスキルを高めるような教育の重要性が強調されています。認知能力に対する教育に加えて、これまで過小評価されがちであった非認知能力の発達やその教育にも注目していくことの必要性が論じられています。"

非認知的能力といわれるものの内容は、抽象的かつ難解で、私が解説しきれるものではありません。例えてみると、学力以外の個人の能力や

性質、やる気、持続力、好奇心などが、学習に向かう力になり、学力の向上にも結びつく、ということでしょうか。近年の学校教育での「アクティブラーニング」も、これに関連しているようです。昔から朝礼での校長先生の訓示などで「よく遊び、よく学べ」といわれてきました。遊びを非認知能力の向上に資するものと解釈すると、どの程度遊べばどの程度の学力に結びつくのかが具体的にわかってきた、ということでしょう。

■ 幼児教育・保育の要領・指針で見る「非認知的能力」

　非認知的能力の測定はむずかしいけれども、それが重要であることは経験的にわかっていましたし、幼児教育・保育の場では、その育成がかねてより重視されていました。2017年、幼稚園教育要領（文部科学省）、保育所保育指針（厚生労働省）、幼保連携型認定こども園教育・保育要領（内閣府・文部科学省・厚生労働省）がともに改定され、2018年4月から適用されました。これらを一読すると、生涯にわたる人格形成の基礎を培う幼児教育のねらいの中心が、用語こそ使われていませんが、非認知的能力の育成であると理解できます。

　要領・指針では、ねらいが総合的に達成された結果として、小学校就学時の具体的な姿（「10の姿」と称される）が示され、保育所保育指針[2]では次のようになっています。

　幼児期の終わりまでに育ってほしい姿
　ア　健康な心と体
　イ　自立心
　ウ　協同性
　エ　道徳性・規範意識の芽生え
　オ　社会生活との関わり
　カ　思考力の芽生え
　キ　自然との関わり・生命尊重

ク　数量・図形、文字等への関心・感覚

ケ　言葉による伝え合い

コ　豊かな感性と表現

　「10の姿」の一つ「キ　自然との関わり・生命尊重」の内容は、次のように解説されています[3]。

　"子どもは、保育所内外の身近な自然の美しさや不思議さに触れて感動する体験を通して、自然の変化などを感じ取り、関心をもつようになる。卒園を迎える年度の後半には、好奇心や探究心をもって考えたことをその子どもなりの言葉などで素直に表現しながら、身近な事象への関心を高めていく。子どもが身近な自然や偶然出会った自然の変化を遊びに取り入れたり、皆で集まった時に保育士等がそれらについて話題として取り上げ、継続して関心をもって見たりすることなどを通して、新たな気付きが生まれ、更に関心が高まり、次第に自然への愛情や畏敬の念をもつようになっていく。この頃の子どもは、身近な自然事象などに一層好奇心や探究心をもって関わり、気付いたことや考えたことを言葉などで表現しながら、更なる関心をもって自然に触れて遊ぶようになる。"

　最後の一文の「遊ぶ」を「勉強する」や「研究する」に置き換えて読めば、非認知的能力が認知的能力、あるいは学力へつながることの、わかりやすい解説になります。

■ 学校より幼稚園・保育所・こども園と相性がよい、ひとはく

　「美しさや不思議さに触れて感動する体験」は、好奇心や探究心といった子どもたちの非認知的能力を開花させるトリガーとなります。しかし、幼稚園や保育所で感動するような体験を用意し続けるには、苦労が伴います。

　幸いにも、美しいものや不思議なものをたくさん持っていて、身近な自然の扱いに精通した専門家がいるところがあります。それは、博物館です。博物館の保有する資料や人材が幼稚園・保育所の現場で活躍する

ことは、幼児たちの様々な能力を育成するにあたって、大きな援護射撃となります。ひとはくは、これまでも多種多様な相手と連携して事業を行なってきましたが、とりわけ幼稚園・保育所との親和性が高いのは、このような双方の特性による当然の帰結でした。

　開館25周年となった2017年度にひとはくは、「25」にちなんで、移動博物館車「ゆめはく」を活用したキャラバン事業を増強し、幼稚園等25箇所、小学校25箇所、合わせて50箇所を訪問しようと計画しました。訪問先の募集にあたって、同じ時期に、兵庫県内の幼稚園・保育所・認定こども園合わせて約1,300園、小学校約600校、中学校約260校へ、案内チラシ（写真1）を送付しました。その結果、幼稚園等から90園、小学校から5校の申し込みがあり、中学校からの申し込みはありませんでした。ただし、学校宛のチラシは他の出版物と同梱されていたため、発見されなかった可能性があります。指導内容や授業の進行による制約の大きい学校に対し、遊びを主体とする幼稚園等では、ひとはくからやってきた標本資料やスタッフが、美しさや不思議さに感動

写真1　Kidsキャラバン（左）とSchoolキャラバン（右）の2017年度募集チラシ
Kidsキャラバンのチラシは兵庫県内の幼稚園・保育所・認定こども園の計約1,300園へ、Schoolキャラバンのチラシは、同じく小学校約600校、中学校約260校へ、直接送付した。

する素材やそれを助ける人材として、活用されやすいのでしょう。

■ 知識偏重から脱却したひとはく

　大学の研究所を併設し、鳴り物入りで開館したひとはくは、当初、知識の提供を重視していました。普及教育機能の事業説明には、学校教育の補完、理科教育の再検討、知識の普及、などのキーワードが並び、「大学院程度の内容の講義を行い、県民の高度な知識要求に応える」ための「特別集中セミナー」なども実施していました。しかし、知識偏重ともいえるスタイルは、あるときを境に大きく変化します。

　開館から10年に満たない2000年、「行政課題解決に向けた実践的研究活動、生涯学習社会に即した県民に魅力ある博物館活動を行う、活力ある博物館への転換」を図るため、事業や組織に関する改革「人と自然の博物館の新展開」に着手しました。一言でいえば、提供者の視点から、利用者主体の視点への転換でした。それ以後、ひとはくの提供サービスの内容は、展示、普及教育、シンクタンクなど、あらゆる場面で少しずつ変化してきました。

　先に述べたキャラバン事業も生まれ、基幹となる常設展示も徐々に変化を遂げました。ひとはくでは開館以来、大規模な展示リニューアルをしていませんが、収蔵資料の充実に伴ってコーナーごとに小さな更新を重ねてきました。次第に説明パネルや映像は少なくなり、実物資料が少しずつ主役の座を取り戻していきました。実物資料自

写真2　カブトムシの拡大模型（2017年9月、丹波篠山市のキャラバン会場）
開館当初はなかった昆虫大型模型は、2020年現在8体あり、記念撮影スポットとして人気となっている。幼稚園・保育所へのキャラバンでも活用されている。

体に対象年齢はありませんから、観覧者は、成長段階や興味関心に応じて、自由な解釈で鑑賞できます（写真2）。こうして利用者のニーズに真摯に対応してきたことが、利用者層の幅を広げることにつながりました。

　近年のひとはくでは、小さな子どもの手を引いた家族連れが「今日は楽しかったね」と会話しながら笑顔で館を後にする姿を、多く目にするようになりました。四半世紀を経て、必要な人にはじゅうぶんな知識を、はじめての人にもたくさんの思い出を、持ち帰ってもらえる魅力的な博物館へ成長したのではないかと思います。

■ 子どもから大人まで、博物館で遊んでください

　非認知的能力の発達の重要性は、幼児期に限りません。「美しさや不思議さに触れて感動する体験」は、青少年であっても大人であっても、学びの促進に大きな役割を果たします。それは、先に述べた保育所保育指針解説の文章中の子どもを児童や学生に、保育所を学校や家庭に、保育士を研究員に置き換えても、じゅうぶん通用することからもわかります。

　私は、昆虫をテーマとしたセミナーやイベントを各地で実施してきました。その一つとして、中学生だけを対象としたセミナーを2001年から続けています（写真3）。初めの頃に試みた昆虫学の講義は、まったく相手にされませんでした。彼らが求めているものは明らかに、専門的な知識ではなく、自由に活動ので

写真3　夜通し虫とりをし続け、翌朝、眠りに落ちた中学生
　　　　（2020年7月、淡路市）
中学生限定のひとはく主催セミナー「ユース昆虫研究室」にて。集合・解散以外のスケジュールは特になく、自由に虫とりをする場として、2001年から開催している。

きる場と、自在にコミュニケーションの取れる仲間でした。この傾向は、家族対象でも、大人対象でも、同じです。

　博物館の特徴は、実物（展示・収蔵資料、そして研究員）に触れ、だれでも、いつでも、いつまでも、自由な方法で学べる、という学びのスタイルを、どこまでできるかは別として、提供できることです。このような主体的で自由な学びのスタイル、例えば、ぶらっと展示を見るとか、公園を散歩するとか、山へ虫とりに行くとかの行為は、多くの場合「遊び」と称されています。だとすれば、博物館はまぎれもなく「遊び場」、しかも内容にこだわった遊び場ということになります。

　これまでは、博物館を「遊び場」と公言することに、とくに博物館内部では、抵抗を感じる人が少なくありませんでした。それは、教室に生徒を集めて先生が講義するという学校教育の伝統的な学びへの信奉や、「遊んでないで勉強しなさい」という親の小言に象徴されるように、遊びと学びを区別してとらえる考え方から抜け出せていなかったからだと思います。「遊び」を「非認知的能力の育成」に言い換え、「学び」と同等に評価できれば、博物館は専門的知識の伝授のみならず、非認知的能力の獲得や開花にも大いに貢献している、と安心して発信できるにちがいありません。

　みなさん、これからも博物館へ遊びにきてください。ひとはくの準備は整っています。

〈引用文献〉
1）遠藤利彦（2017）非認知的（社会情緒的）能力の発達と科学的検討手法についての研究に関する報告書．国立教育政策研究所，281p.
2）厚生労働省（2017）保育所保育指針．厚生労働省告示第百十七号．
https://www.mhlw.go.jp/file/06-Seisakujouhou-11900000-Koyoukintoujidoukateikyoku/0000160000.pdf
3）厚生労働省（2018）保育所保育指針解説．374p.
https://www.mhlw.go.jp/file/06-Seisakujouhou-11900000-Koyoukintoujidoukateikyoku/0000202211.pdf

意外と役立つアリの研究～博物館と社会の絆～

橋本 佳明

　私は博物館で世界中のアリを研究しています。博物館の研究や、小さな昆虫であるアリの研究など、人とは何の関わりもなく、社会の役には立っていないと思われるかもしれません。しかし、生物学としての成果だけでなく、アリの研究が人との関わりを紡ぎ出し、これまでに、様々な社会貢献も果たしてきました。ここでは、博物館の研究が、意外に、世のため人のために役立っていることを、少しだけ紹介したいと思います。

■ ひとはくの研究員、ヒアリを迎え撃つ

　2017年5月、博物館でアリの研究をしている私のところに、環境省から神戸港に陸揚げされた中国のコンテナに潜んでいたアリが同定のために送られてきました。そのアリこそ、日本で初めて侵入が確認された特定外来生物のヒアリでした。すぐに、ヒアリであると確認できた事で、ヒアリが潜んでいたコンテナが放置されることもなく、素早い駆除と的確な対策が実施されました。この時、発見されたヒアリは1,000匹近い集団で、そこには女王アリや働きアリだけでなく、翅のある新女王アリやオスアリも含まれていました。もし、ヒアリと確認するのに手間取っていたら、その間に、羽蟻が飛び出して周囲に営巣していたかもしれません。ヒアリの新女王は5キロほど飛んで分散することができ、新しい巣は、早ければ7ヶ月ほどで、また、翅のある新女王アリの生産をはじめることが知られています。今頃は、兵庫県内にヒアリが蔓延し、人の刺傷被害だけでなく、年間20億円以上の農業被害など、様々な経済活動に巨額の損益をもたらしていた可能性もあったのです。

　ヒアリは、もともと南米熱帯のアリです（写真1）。それが物流に運

写真1　ヒアリ（*Solenopsis invicta*）

ばれて 1930 年代に米国に侵入、その後、経済活動がグローバル化する中で中国、台湾、オーストラリア、ニュージーランドと分布を広げ、今、世界中がもっとも恐れている外来種になっています。このヒアリ発見は、改めて、国際貿易が盛んな兵庫県は外来生物の侵入リスクが高く、我が国の外来種問題の最前線に立たされていることを強く認識させることになりました。

　しかし、神戸市や兵庫県の環境行政部署には、もちろんアリの専門家などいません。兵庫県に人と自然の博物館があり、アリの研究者がいて、ヒアリの標本を始め世界中のアリの標本が収蔵されていたことで、国内初のヒアリ侵入を迅速に確認することができたのです。神戸港での初侵入以降、ヒアリの侵入は今も続き、2019 年 9 月時点で、ヒアリの侵入は 14 都道府県に拡大し、発見されたヒアリの個体数は 1 万匹を超えました。この間、私の貢献も、単にヒアリの同定から、その対策に向けた研修会や対策マニュアル作成などのシンクタンク活動に広がり、貢献の場も兵庫県や神戸市だけでなく、環境省や岡山県、沖縄県など全国各地に拡大しています。

　中国との貿易が続く限り、ヒアリの侵入は今後も続くのは間違いありません。さらに、侵入が危惧されている外来アリはヒアリだけではありません。世界経済のグローバル化が益々進んで行く中で、これまで見たこともないアリたちが次々と現れる外来アリ大襲来時代に、日本の社会は直面しているのです。事実、特定外来生物に指定されるアリは、ヒアリ初侵入以降、4 種から 20 種以上になっています。博物館でのアリ研究が、今後も、意外に、世の役に立つことは間違いないでしょう。

■ ひとはくの研究員、子供たちをボルネオの熱帯雨林に連れて行く

　ボルネオ・ジャングル体験スクールは、ひとはくが兵庫県の小中高生に探究心や科学する心を育んでもらおうと、1998年から、生命の宝庫と呼ばれるボルネオ島で始めた環境教育プログラムです。毎年の夏休みに、20名ほどの子供たちが研究員と一緒に、ボルネオの熱帯雨林に1週間滞在し、その豊かな生物多様性が内包する不思議や驚きを体験しました（写真2）。今でこそ、博物館や大学が海外で環境教育プログラムを実施することは珍しくありませんが、当時は、子供たちを海外に、それも熱帯雨林に連れていくジャングル体験スクールは、他に類の無いものでした。

　このユニークな事業にひとはくが取り組む契機になったのは、私のアリの研究でした。アリ類の多様性は熱帯地域でもっとも高いこともあり、私は世界中の熱帯林でアリの調査を行なってきました。特に、1994年から、毎年のように足を運んでいるのが、ボルネオ島の熱帯雨林です（写真3）。そのボルネオ島にあるマレーシア国立サバ大学にアリの研究者がいると聞きつけて、1995年に、出会ったのがマリアッテイ博士でした。彼女はサバ大学に新設される熱帯生物・保全研究所の所長で、ボ

写真2　ボルネオ体験ジャングルスクール、樹冠の吊り橋キャノピーウォーク。

写真3　ボルネオ島の熱帯雨林。巨木の下でアリの採集。

ルネオ島の生物多様性を守るためには、自然史博物館の役割も果たす研究所が必要だが、その具体的な構想に苦慮していると熱っぽく語ってくれました。そこで、1966年に、彼女をひとはくに招待したところ、ひとはくをモデルに研究所の設立に取り組みたいということになり、1997年に、サバ大学とひとはくで学術交流協定書を取り交わして、ボルネオでの標本収集活動から環境教育まで、両機関が協力し合って実施していくことになりました。ボルネオ・ジャングル体験スクールは、この協定書に基づく活動の一つとして始まったのです。

　スクールは、2014年まで、計15回続き、私がボルネオ島に連れていくことになった子供たちの数は500人を超えました。その中には、スクールでの体験が人生の切っ掛けになり、大人になった今、私のように、ボルネオ島で研究を続けている卒業生も現れました。アリの研究が紡ぎ出した人との関わりが、兵庫の子供たちの未来をも紡ぎ出しているのです。

■ ひとはくの研究員、淡路花博でラフレシアを展示する

　淡路花博は、2000年に、兵庫県が淡路島で開催した花と緑の国際博覧会です。この博覧会の目玉の一つが、世界最大の花と呼ばれるラフレシアを展示する熱帯雨林館でした。この熱帯雨林館の制作でも、私のアリ研究が紡いだボルネオとの関わりが役立っています。熱帯雨林館は「共生の森—ボルネオの熱帯雨林」をテーマにした展示館です。ボルネオで長く研究を続けてきた私は、兵庫県から協力の依頼を受けて、その制作に関わることになりました。ボルネオから採集した多様な動植物の標本を使って、熱帯雨林を再現する展示を制作したのですが、その中でも、ラフレシアは最大の難関でした。ラフレシアは、文字通り、根も葉もない寄生植物です。他の植物に取り付いて栄養を奪い、2年ほどかけて大きな赤い花を咲かせますが、開花するとすぐに結実して枯れてしまいます。咲いたばかりの綺麗なラフレシアの花を日本に持ってくるためには、その成長を、常時、監視しなければならないのです。

そこで、ひとはくが学
術協定を結んだサバ大学
の熱帯生物・保全研究所
の所長で、アリ研究仲間
でもあるマリアッテイさ
んに、ボルネオに点在す
るラフレシアの生息場所
を現地で監視してくれる
ように、お願いをしまし
た。このことによって、
ラフレシアの開花状況を

写真4　ラフレシアの採集

オンタイムで把握することが可能になったのです。それでも、開花直後
のラフレシアを採集するのは至難の技で、「そろそろ咲くよ」という連
絡を受けてボルネオ島に三回飛んで行き、なんとか綺麗なラフレシアの
花を採集することに成功しました（写真4）。アリの研究が取り持つ絆
が、実現不可能に思われたラフレシア展示を可能にしたのです。このラ
フレシア展示は、期待通り淡路花博の目玉となり、184日間の花博開
期中に500万人を超える観覧者が、ラフレシアを見るために、連日、
長蛇の列を作ることになりました。

■ 博物館の研究が織りなす人や社会との絆

　私のアリ研究は、兵庫県だけでなく、ボルネオ島でも、その生物多様
性保全に貢献しています。それが、国際協力事業団（JICA）が2002
年からボルネオ島で開始したODAプロジェクト「ボルネオ生物多様
性・生態系保全プログラム協力」です。

　このプロジェクトでは、長年ボルネオでアリの研究を続けてきた実績
を買われて立案から関わり、プロジェクト開始後は、私自身がボルネオ
島のサバ大学に計3年ほど赴任して、ひとはくをモデルに、ボルネオ
島で初めてとなる標本収蔵庫の設立に貢献しました（写真5）。さらに

は、現地での分類学や標本収集・保管の能力向上のために、サバ大学の教員や大学院生、そして公園局や野生生物保護局のスタッフに講義や実習を行いました。その成果として、私が教育支援したサバ大学が、今ではJICAと協力して第三国研修を担当し、アフリカなどからの研修生を引き受けるほどになっています。この事業に関わった私も、毎日、英語で授業をしたおかげで、今や英語でも人を笑わすことができるほどになりました。私のアリ研究は、私自身の能力向上にも大いに役立っているといえるかも知れません。

　ここでは紹介できませんでしたが、博物館での私の研究は、ボルネオだけでなく、昆虫記で有名なファーブルの生誕地であるフランス国のアベロン県との絆も紡いでくれました。この繋がりは、日本の自然史博物館が初めて共同で開催した「ファーブルに学ぶ」展で、大きな貢献を果たしました。このように、一見、世の中と隔絶したところにあると思われている博物館での研究活動は、博物館が社会教育機関であることで、実は人々と広く繋がり、社会に大きく役立っているのです。これからも、アリ研究がもたらす科学的な貢献を縦糸に、その活動が繋ぐ人や社会との関わりを横糸に、様々な貢献を織りなして行ければと思っています。

写真5　サバ大学に設立した昆虫標本収蔵庫で実習

自然史博物館の標本～新たな価値創造への挑戦～

三橋 弘宗

■ 標本の価値と魅力をもっと伝えるには

　自然史博物館が有するもっとも重要で代替できない機能は、標本の収蔵保存と発信活用にあります。模式となる標本が保存されていないと、ある種が確かに存在していることの証拠が無くなります。後世の研究者が新種であることの確認、図や写真では表現できない特徴の確認、各地の標本を参照して種の分布状況を把握することが出来ません。生物の名前を間違いなく記録に残すことにも支障が生じます。

　また、古い時代の標本は、かつての自然環境を知る上でとても大切です。しかし、いざ博物館で働いてみると、素晴らしい価値のあるはずの標本が、非常に限定的にしか活用されていないほか、貴重な種以外の普通種の標本はその性質上仕方ないのですが、どうしても待機状態となってしまいがちになります。当時は、博物館標本の情報公開にも決して積極的ではなく、展示や教育への活用でも、劣化のリスクを懸念して、展示すること自体が消極的で、展示や保存の技術も単調なものでした。これでは、これ以上、博物館の発展は期待できないだろうと考えて、保存と活用のバランスをとって標本の価値を高める方法がないかと、模索しながら数年を過ごしました。

　博物館が収蔵する標本の重要性や魅力をどのように発信すれば、もっと重要性が伝わるのだろうか。これが博物館に勤めてからの一貫した問題意識となっています。大学院の当時から水生昆虫（トビケラ目）の分類記載や生態の研究は行っていましたが、博物館勤務を始めてから、こうした研究は大学や他の研究機関でも出来る研究なので、博物館でしか絶対に出来ない研究や社会的価値をつくることに、研究の方向性をシフトさせました。そこで考え出したのは、標本のデジタル化（汎用利用）

と標本のハンズオン化（大衆利用）の２つの研究と技術開発です。あえて"標本"に着目して、博物館が関わることで高いパフォーマンスを発揮する新たな学際領域の構築を試みました。

■ 自然史標本のデジタル化と活用、そしてネットワーク化

　日本中の博物館が標本画像や情報をインターネット上でルールを決めて配信し、それらを一気に横断検索できるようになれば、研究者だけでなく、環境保全や環境教育にも役に立つだろうと考えていました。まずは、自分で標本や文献資料の各種情報を入力して、県内の生物多様性に関するデータを片っ端からソフトに入力して地図化しました[1]。いわゆるビッグデータを活用・分析して生物多様性が高いと予想される場所を推定して学会に発表したところ、学会内で賛否両論の議論が盛り上がりました。批判のポイントは、自分で採集したデータ以外を使うことの可否（要するに横着）とデータの不完全性や解析方法に関するものでした。一方で、多くの研究者から、今後、この方法論は環境科学研究の主流となり、生物多様性のデータベースが研究だけでなく、政策にも役立つ時代が訪れるという意見もありました。

　予見通り、約20年を経て、今では普通にその時代が到来しています。当時、実際に関心を寄せて頂いた方のなかに、環境省の方もおられて、こうした研究発表がきっかけで、政策検討の会議に参加するようになり、環境アセスメントや生物多様性国家戦略などの環境政策にも反映されるようになりました（例えば引用文献2、3）。特に、国際的な流行もあって、生物多様性情報を活用して、潜在的にある種の生息が可能なエリアを推定する、"生息適地モデル（species distribution model）"の研究と環境保全に関する研究が進展したことで、博物館標本や日本の自然史研究の価値に注目が集まり、最新の政策体系や保護区の選定方法に関する研究に繋がっています（図1、引用文献4、5）。

　並行して、こうした解析事例などを紹介する傍ら、地図化の重要性を具体的に例示しつつ、博物館関係者とも議論を進めてきたところ、文部

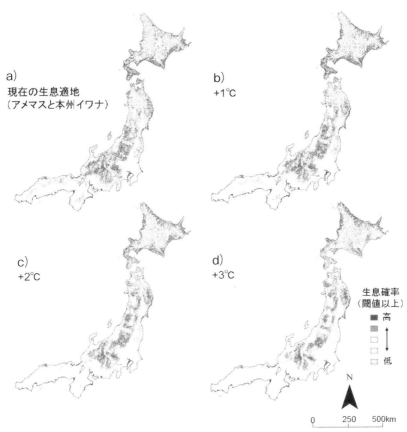

a)
現在の生息適地
（アメマスと本州イワナ）

b)
+1℃

c)
+2℃

d)
+3℃

生息確率
（閾値以上）
■ 高
↑
□
□
□ 低

N

0   250   500km

図1　生物多様性情報を活用したイワナの生息適地図と気候変動の影響を地図化
a) 現在の気候条件での生息適地図　b) 1度上昇　c) 2度上昇　d) 3度上昇した場合の生息適地図を示す4)

科学省による博物館ネットワーク推進事業の募集があり、環瀬戸内地域
自然史系博物館ネットワーク推進協議会（現在は NPO 法人西日本自然
史系博物館ネットワーク）で応募することになりました。当時 2002 年
頃では画期的なもので、分散型データベースを使って、インターネット
上の地図システム（GIS）上で情報検索できるといったものでした 6)。
ただし、当時の技術ではまだまだ回線スピードが遅いことや、JAVA な
どの特殊なプログラムの事前インストールが必要なこと、各館で公開で
きるデータが少なかったこともあり、誰もが普段使いとなるレベルには

至りませんでした。システム上の課題、利活用上の課題、運営上の課題など、いくつもの課題が浮き彫りになりましたが、これが基盤となってその後の発展に繋がりました。

このデータベース公開はさらなるきっかけを生み出します。実際に実装されたものが公開されたことで、科学技術振興機構（JST）や国立科学博物館をはじめ全国の博物館が統合型データベースの実現可能性に気づきはじめました。国際的にも生物多様性情報の統合化と発信が推奨され、技術的にも Google Maps が盛んに利用され始めていました。先鞭をつけていたことで、国立科学博物館を中心とした自然史系博物館のネットワーク事業として、"サイエンスミュージアムネット（SNET）"が動き始めた際に、私も中核的な企画運営メンバーとして、日本の自然史博物館の連携による自然史情報の整備と発信、GBIF（世界生物多様性情報機構）への国際発信の体制づくりに参画しました[7]。

全国の博物館スタッフを招集して開催する研究会の運営やデータ整備のルールづくり、ファンディングなどゼロからあらゆる仕事に携わりました。一見すると、研究というよりも事務的な作業のように思われますが、博物館のこと、情報システムのこと、生物学のこと、政策のことを同時に把握して、課題解決する経験と技術を活かすことができました。とくに、ナショナルバイオリソースプロジェクトという国家予算を地方博物館にどう資金配分するのか、その仕組みづくりのため全国行脚し、ヒアリングと研究会を通じた情報提供を繰り返すことで、現場との乖離を小さくすることに繋がり、現在では国内の 130 の博物館が参画し、JBIF（日本生物多様性情報機構／ GBIF の日本版）を通じて、国内外に 850 万件の情報が公開されるようになっています【JBIF ホームページ／ https://www.gbif.jp/v2/】。

こうした知見は、さらに環境省生物多様性センターの"いきものログ"と称される生物多様性情報の発信システム、環境アセスメント環境基礎情報データベースシステム（EADAS）にも反映されており、最近になって我が国における生物多様性情報の整備に関する知見や展望を取

りまとめることができました[8]。構想から20年近くを経過して多くの博物館関係者、大学の研究者や行政の方々、民間エンジニアの方々の協力を得て、ようやく生物多様性情報をもとにした政策へと反映されはじめ、それに呼応して博物館の社会的価値が少しは再認識されたように思います。

■ 魅せる標本から自然への関心を生み出す

標本や自然史資料のデータベースづくりは、どちらかというと研究者や政策者側への貢献であって、一般市民からすると遠い存在です。標本を一般の人にも身近なものとするには、どうするのが良いのか。乱暴な見解かも知れませんが、"気軽に手にとって触れる"ようにすることだと考えました。時には、自分のものに出来ることが、標本を自分事にできる方法論だと考えて、"樹脂封入標本"と"プラスティネーション標本"に関する研究開発および技術開発を行いました。樹脂を使った標本作成のポイントは、標本から水分や脂を抜き去って、透明の樹脂の中に埋め込む技術、身体のなかに樹脂を浸み込ませて硬化させる技術です。分類群やサイズによっても技術作法が異なる上、博物館の教育普及に配慮して、高度な機械を使わずに、身近な道具で"なんとかする"小規模技術としてカスタマイズしました。地域の博物館や学校現場、自然愛好家が参画できる点に留意した訳です。

技術開発のため、博物館に勤務してからは、まったく分野外の高分子化学や医学標本の作製技術を独学すると同時に、片っ端から土木工事で使う薬剤から医療用樹脂まで、効果のありそうな樹脂を買ってはテストを繰り返しました。ここでは、詳細な標本作成に関する技法は紹介しませんが、様々な試行錯誤を繰り返して、水生昆虫や魚の樹脂封入標本作成、キノコやカニ類、魚類、海藻のプラスティネーション標本づくりが可能になりました（写真1）。

安定的に制作できるようになって暫（しば）らくは、博物館の展示物制作や学校教育に使っていたのですが、技術が進展してくると、学校や地方の博

物館で独自に作って展示したい、といった事例が増えてきました。なかでも、キノコに関する標本については、県立御影高等学校と一緒に、六甲山でのキノコ調査から展示会の実施、地域づくりまでを一体的に取り組むことで、数多くメディアにも取り上げられ（皇室からアイドルまで共演）、重層的なネットワークが広がりました[9]。また、プラスティネーション樹脂については、既製品での簡易な制作が困難だったことか

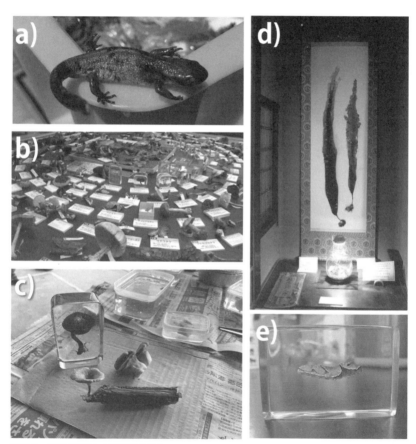

写真 1　樹脂を活用した展示用の標本
a）特殊シリコン樹脂含浸によるアカハライモリのプラスティネーション標本　b）御影高校による六甲山のキノコ展での展示　c）樹脂封入およびプラスティネーションによるキノコ標本の完成品と制作過程（右上タッパー）　d）ラウスコンブのプラスティネーション標本、京町屋での移動展において掛け軸を使った展示　e）アゲハチョウ幼虫の樹脂封入標本

ら、常温微低圧化において手軽に標本製作できるシリコン変性樹脂を開発し、10年近く掛かって研究開発し、ようやく特許出願することができました。

　標本を手軽に扱い易くすることは、展示の機会を増やすこと、これまで展示出来なかった場所への展開を可能にしてくれます。また、代替の効く"普通種"の標本や廃棄予定の標本を用いて、教育普及用のセットを作成しておくことで活用しやすくなるほか、学術用にしっかりと保管すべき標本の劣化を軽減します。2016～2019年に実施した博物館ネットワークによる未来へのレガシー継承・発信事業（文化庁）では、これらの加工した標本を上手く活用して、京町屋や酒蔵、寺院などの歴史的建造物を舞台にした展示会で活躍し、地域資源の新たな活用や地域づくりにも大きく貢献しています。建造物や歴史に興味がある方にも、自然史博物館や標本にも関心を持っていただくことが出来ました（参考HP：https://www.facebook.com/wherenature）。

　一見するとマニアックな研究者の腕自慢大会と揶揄されるかも知れませんが、汎用性の高い要素技術としての確立とネットワーク化によって、博物館業界だけでなく、ヒアリや外来生物対策、学校教育や地方創生と文化観光への活用、さらには土木工事や建築施工など異なる用途にも活用され、結果として博物館の活性化に貢献しています。こうした博物館標本の魅せる技術、共創の技術が、新たな価値を生み、これまでにない博物館の利用に繋がる研究開発を進めています[10]。

■ 情報と蓄積の新たな活用を

　博物館に勤務しはじめた頃に想定していた標本による新たな価値創造は、要素技術の開発、環境政策への社会実装、新たな標本を活用した教育プログラムや展示技法の開発など、いくつかは社会実装ができましたが、まだ自然史博物館が本来持っているポテンシャルを十分に引き出すに至っていません。開館して30年が経過し、情報が充実してきたことと同時に、新たな社会課題への対応が求められています。

絶滅危惧種の保全、外来生物対策での活用や、新たな生物多様性国家戦略のなかで国際目標としての設定が求められているOECM（自然共生エリア：Other Effective area-based Conservation Measures）の選定、さらには気候変動の影響評価や自然再生エネルギー導入の立地適正化、地域の自然を活かした観光促進など、自然史博物館にはあらゆる方面での社会要請が高まっています。地域の自然史博物館のもつポテンシャルを活かすには、改めて、情報の蓄積と活用を基本として、多くの人に自然への関心を持ってもらい、意識変容を引き起こす仕掛けとなる魅力的な展示や体験や交流プログラムが大切になります。

　これからの自然史博物館は、標本の蓄積と活用を通じて、持続可能な暮らしを支えるために、標本だけをキュレーションするのではなく、地域の自然を魅せる展示や交流の仕掛けづくり、地域の自然環境そのものの管理まで含めた重層的なキュレーションを担う社会インフラとして機能できればと考えています。

〈引用文献〉
1) 三橋弘宗・池田啓（2001）フィールドワークの軌跡が語る生態系のすがた　―自然史博物館という可能性―. GIS JAPAN, 1：93-98.
2) 環境影響評価技術手法に関する検討会 編（2015）環境アセスメント技術ガイド 生物の多様性・自然との触れ合い. 環境省総合環境政策局環境影響評価課 監修. http://assess.env.go.jp/files/0_db/seika/0066_01/20170620_1.pdf
3) 環境省自然局（2012）【WEBページ】生物多様性情報の地図化・https://www.biodic.go.jp/biodiversity/activity/policy/map/index.html
4) 竹川有哉・河口洋一・三橋弘宗・谷口義則・（2017）日本におけるイワナ Salvelinus leucomaenis の生息適地推定と地球温暖化を考慮した保全計画への適用. 保全生態学研究, 22（1）：121-134.
5) Akasaka, T., Mori, T., Ishiyama, N., Takekawa, Y., Kawamoto, T., Inoue, M., Mitsuhashi, H., Kawaguchi, Y., Ichiyanagi, H., Onikura, N., Miyake, Y., Katano, I., Akasaka, M., & Nakamura, F. (2022) Reconciling biodiversity conservation and flood risk reduction: The new strategy for freshwater protected areas. Diversity and Distributions, 28：1191-1201. https://doi.org/10.1111/ddi.13517
6) 三橋弘宗・佐久間大輔（2003）　環瀬戸内生き物マップの開発. 自然史博物館―「地域の自然」の情報拠点. 高陵社, 93-103.

7) 三橋弘宗（2010）生物多様性情報の整備法. 保全生態学の技法（編：鷲谷いずみら）. 東京大学出版会 東京, 103-128.
8) 大澤剛士・三橋弘宗・細矢剛・神保宇嗣・渡辺恭平・持田誠（2021）GBIF日本ノードJBIFの歩みとこれから：日本における生物多様性情報の進むべき方向. 保全生態学研究, 26（2）：2105
9) 三橋弘宗（2017）自然史系博物館における学校教育の支援と地域への展開. 兵庫教育, No.799：4-7.
10) 三橋弘宗（2020）自然史博物館の技法が導く新たな価値創造. 展示学, 59：34-37

執筆者一覧（五十音順）

兵庫県立人と自然の博物館での職位（前）／兵庫県立大学自然・環境科学研
究所を本務とする者の職位（後）、専門分野の順に記す。＊は執筆当時の所属。

赤澤　宏樹（あかざわ・ひろき）
主任研究員／教授
緑地計画学、コミュニティランドスケープ

秋山　弘之（あきやま・ひろゆき）
主任研究員／准教授＊
植物分類学

生野　賢司（いくの・けんじ）
研究員
古生物学、地質学

池田　忠広（いけだ・ただひろ）
主任研究員／准教授
古脊椎動物学、古爬虫両棲類学

石田　弘明（いしだ・ひろあき）
主任研究員／教授
植生学、保全生態学

衛藤　彬史（えとう・あきふみ）
研究員
農業・農村計画学

太田　英利（おおた・ひでとし）
主任研究員／教授
系統分類学、生物地理学

大平　和弘（おおひら・かずひろ）
研究員／講師
環境計画学

加藤　茂弘（かとう・しげひろ）
研究員
自然地理学

京極　大助（きょうごく・だいすけ）
研究員
進化生態学

久保田克博（くぼた・かつひろ）
研究員
古脊椎動物学

黒田有寿茂（くろだ・あすも）
主任研究員／准教授
植物生態学、植生学、保全生態学

小舘　誓治（こだて・せいじ）
研究員／講師
森林土壌学、植物生態学

三枝　春生（さえぐさ・はるお）
主任研究員／准教授＊
古脊椎動物学

佐藤　裕司（さとう・ひろし）
主任研究員／教授＊
自然史科学、第四紀学

鈴木　武（すずき・たけし）
研究員／講師
博物館学、植物分類学

髙田　知紀（たかだ・ともき）
主任研究員／准教授
合意形成学、地域計画論、風土論

高野　温子（たかの・あつこ）
主任研究員／教授
植物分類学

高橋　晃（たかはし・あきら）
主任研究員／教授 *
植物形態学、植物分類学

高橋　鉄美（たかはし・てつみ）
主任研究員／教授
魚類分類学、魚類生態学

田中　公教（たなか・とものり）
研究員／特任助教
古鳥類学

中濱　直之（なかはま・なおゆき）
研究員／講師
保全遺伝学、保全生態学、生物多様性科学

橋本　佳明（はしもと・よしあき）
主任研究員／准教授 *
多様性生物学、昆虫学

橋本　佳延（はしもと・よしのぶ）
主任研究員
保全生態学、植物生態学、環境教育学

半田久美子（はんだ・くみこ）
主任研究員
植生史学、花粉形態学

廣瀬孝太郎（ひろせ・こうたろう）
主任研究員／准教授
微古生物学、第四紀層序学、生態学

福本　優（ふくもと・ゆう）
研究員
都市計画学、地域計画学、建築計画学

藤井　俊夫（ふじい・としお）
主任研究員
植物生態学、保全生態学

藤本　真里（ふじもと・まり）
主任研究員／教授
まちづくり

布野　隆之（ふの・たかゆき）
研究員
動物生態学

三谷　雅純（みたに・まさずみ）
主任研究員／准教授 *
医療人類学、霊長類学

三橋　弘宗（みつはし・ひろむね）
主任研究員／講師
河川生態学、保全生態学

八木　剛（やぎ・つよし）
主任研究員
昆虫学、博物館教育

山﨑　健史（やまさき・たけし）
主任研究員／准教授
動物分類学

山田　量崇（やまだ・かずたか）
主任研究員／准教授
系統分類学、昆虫学、多様性生物学

頼末　武史（よりすえ・たけふみ）
主任研究員／准教授
海洋生物学、海洋幼生生態学

李　忠建（りー・ちゅんごん）
研究員
植物分類学

研究の醍醐味を伝えること
～編集後記に代えて～

　人と自然の博物館（ひとはく）は研究し、その成果を発信し、県民に貢献するという理念を抱いて 1992 年 10 月に開館しました。対象が何であろうと、それに疑問や興味を抱き、調べ、理解し、時には苦しみ、時には楽しむことは、人しか味わうことのできない「研究すること」の醍醐味であり、その大切さは今後も変わりありません。

　1995 年 1 月 17 日に発生した阪神・淡路大震災の苦難も、ひとはくは研究によって県民生活や県政の復興・発展に貢献することで乗り越えようとしてきました。県立コウノトリの郷公園や兵庫県森林動物研究センターの開設、山陰海岸ジオパークの推進などの県内外の事業にも、研究員の科学に対する意欲と努力、培ってきた知識や経験、能力を注いできました。

　30 周年が近づき、すべての研究員がこれまでの研究をふりかえり、自らの研究・調査の醍醐味を分かりやすく伝える試みができないか、また研究者を志す若者たちにメッセージを残せないかを考えました。そして生まれたのが、ひとはくホームページに掲載された「シリーズ人と自然」という研究に関わる連載記事であり、本書はそれを加筆・再構成して取りまとめたものです。

　多様な分野の研究者が集うひとはくゆえ、テーマや書き方は人それぞれです。しかし、先の目的を念頭においてまとめられており、さまざまな分野の研究の醍醐味にふれていただけるのではと期待しています。そして、博物館の展示やセミナーでは知ることのできない、ひとはくのもう一つの魅力に気づいていただければ幸いです。

編集委員一同

〔編集委員会〕

委員長　太田　英利

委員　　加藤　茂弘

　　　　高橋　鉄美

　　　　橋本　佳延

　　　　山田　量崇

人と自然のワンダーランドへ、ようこそ

2023 年 3 月 31 日　初版第 1 刷発行

編　者──兵庫県立人と自然の博物館

発行者──金元 昌弘

発行所──神戸新聞総合出版センター

〒 650-0044　神戸市中央区東川崎町 1-5-7

TEL 078-362-7140／FAX 078-361-7552

https://kobe-yomitai.jp/

印刷／神戸新聞総合印刷